中国电子信息工程科技发展研究

数据中心网络
与东数西算专题

中国信息与电子工程科技发展战略研究中心

科学出版社

北京

内 容 简 介

数据中心网络是数据中心的重要组成部分，为数据中心提供传输性能保障。在当前东数西算和全国一体化大数据中心建设的背景下，数据中心网络技术的重要性愈发凸显。本书从数据中心网络的高性能、可编程、虚拟化、智能化等关键技术的角度出发，对近年来数据中心网络的技术发展进行梳理(第 2 章)，提炼国内外数据中心网络的发展态势(第 3～4 章)，并且对未来数据中心网络的发展前景进行了展望(第 5 章)。

本书可作为数据中心网络领域的科研人员和工程技术人员的参考书，也可为国家不同层面和不同领域的各界专家学者提供参考。

图书在版编目（CIP）数据

中国电子信息工程科技发展研究. 数据中心网络与东数西算专题/中国信息与电子工程科技发展战略研究中心编著. —北京：科学出版社，2023.3

ISBN 978-7-03-075028-0

Ⅰ. ①中… Ⅱ. ①中… Ⅲ. ①电子信息-信息工程-科技发展-研究-中国②数据处理中心-科技发展-研究-中国 Ⅳ. ①G203②TP308

中国国家版本馆 CIP 数据核字（2023）第 036196 号

责任编辑：赵艳春 / 责任校对：胡小洁
责任印制：吴兆东 / 封面设计：迷底书装

科学出版社 出版

北京东黄城根北街 16 号
邮政编码：100717
http://www.sciencep.com

北京虎彩文化传播有限公司 印刷

科学出版社发行 各地新华书店经销

*

2023 年 3 月第 一 版 开本：890×1240 A5
2023 年 3 月第一次印刷 印张：2 3/4
字数：66 000

定价：**88.00 元**

（如有印装质量问题，我社负责调换）

《中国电子信息工程科技发展研究》工作组

组　长：
　　　余少华　陆　军
副组长：
　　　张洪天　党梅梅　曾倬颖

中国信息与电子工程科技发展战略研究中心
CHINA ELECTRONICS AND INFORMATION STRATEGIES

中国信息与电子工程科技
发展战略研究中心简介

中国工程院是中国工程科学技术界的最高荣誉性、咨询性学术机构，是首批国家高端智库试点建设单位，致力于研究国家经济社会发展和工程科技发展中的重大战略问题，建设在工程科技领域对国家战略决策具有重要影响力的科技智库。当今世界，以数字化、网络化、智能化为特征的信息化浪潮方兴未艾，信息技术日新月异，全面融入社会生产生活，深刻改变着全球经济格局、政治格局、安全格局，信息与电子工程科技已成为全球创新最活跃、应用最广泛、辐射带动作用最大的科技领域之一。为做好电子信息领域工程科技类发展战略研究工作，创新体制机制，整合优势资源，中国工程院、中央网信办、工业和信息化部、中国电子科技集团加强合作，于 2015 年 11月联合成立了中国信息与电子工程科技发展战略研究中心。

中国信息与电子工程科技发展战略研究中心秉持高层次、开放式、前瞻性的发展导向，围绕电子信息工程科技发展中的全局性、综合性、战略性重要热点课题开展理论研究、应用研究与政策咨询工作，充分发挥中国工程院院士，国家部委、企事业单位和大学院所中各层面专家学者的智力优势，努力在信息与电子工程科技领域建设一流的战略思想库，为国家有关决策提供科学、前瞻和及时的建议。

《中国电子信息工程科技发展研究》
编写说明

当今世界，以数字化、网络化、智能化为特征的信息化浪潮方兴未艾，信息技术日新月异，全面融入社会经济生活，深刻改变着全球经济格局、政治格局、安全格局。电子信息工程科技作为全球创新最活跃、应用最广泛、辐射带动作用最大的科技领域之一，不仅是全球技术创新的竞争高地，也是世界各主要国家推动经济发展、谋求国家竞争优势的重要战略方向。电子信息工程科技是典型的"使能技术"，几乎是所有其他领域技术发展的重要支撑，电子信息工程科技与生物技术、新能源技术、新材料技术等交叉融合，有望引发新一轮科技革命和产业变革，给人类社会发展带来新的机遇。电子信息工程科技作为最直接、最现实的工具之一，直接将科学发现、技术创新与产业发展紧密结合，极大地加速了科学技术发展的进程，成为改变世界的重要力量。电子信息工程科技也是新中国成立 70 年来特别是改革开放 40 年来，中国经济社会快速发展的重要驱动力。在可预见的未来，电子信息工程科技的进步和创新仍将是推动人类社会发展的最重要的引擎之一。

把握世界科技发展大势，围绕科技创新发展全局和长远问题，及时为国家决策提供科学、前瞻性建议，履行好国家高端智库职能,是中国工程院的一项重要任务。为此,中国工程院信息与电子工程学部决定组织编撰《中国电子信息工程科技发展研究》(以下简称"蓝皮书")。2018年9月至今,编撰工作由余少华、陆军院士负责。"蓝皮书"分综合篇和专题篇,分期出版。学部组织院士并动员各方面专家300余人参与编撰工作。"蓝皮书"编撰宗旨是:分析研究电子信息领域年度科技发展情况,综合阐述国内外年度电子信息领域重要突破及标志性成果,为我国科技人员准确把握电子信息领域发展趋势提供参考,为我国制定电子信息科技发展战略提供支撑。

"蓝皮书"编撰指导原则如下:

(1) 写好年度增量。电子信息工程科技涉及范围宽、发展速度快,综合篇立足"写好年度增量",即写好新进展、新特点、新挑战和新趋势。

(2) 精选热点亮点。我国科技发展水平正处于"跟跑""并跑""领跑"的三"跑"并存阶段。专题篇力求反映我国该领域发展特点,不片面求全,把关注重点放在发展中的"热点"和"亮点"问题。

(3) 综合与专题结合。"蓝皮书"分"综合"和"专题"两部分。综合部分较宏观地介绍电子信息科技相关领域全球发展态势、我国发展现状和未来展望;专题部分则分别介绍13个子领域的热点亮点方向。

5大类和13个子领域如图1所示。13个子领域的颗粒度不尽相同,但各子领域的技术点相关性强,也能较好地与学部专业分组对应。

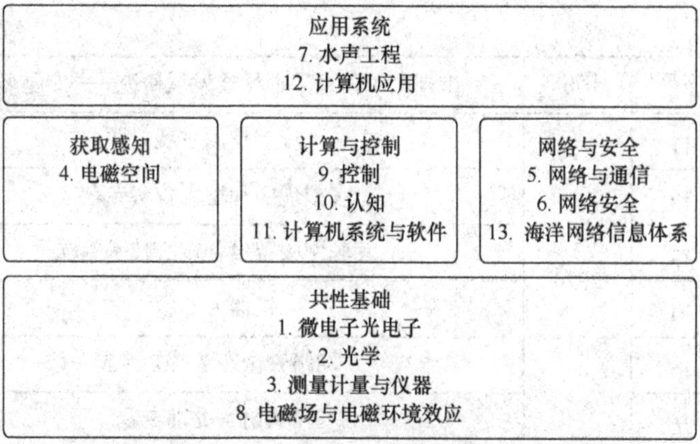

应用系统
7. 水声工程
12. 计算机应用

获取感知	计算与控制	网络与安全
4. 电磁空间	9. 控制	5. 网络与通信
	10. 认知	6. 网络安全
	11. 计算机系统与软件	13. 海洋网络信息体系

共性基础
1. 微电子光电子
2. 光学
3. 测量计量与仪器
8. 电磁场与电磁环境效应

图 1　子领域归类图

前期，"蓝皮书"已经出版了综合篇、系列专题和英文专题，见表 1。

表 1　"蓝皮书"整体情况汇总

序号	年份	中国电子信息工程科技发展研究——专题名称
1		5G 发展基本情况综述
2		下一代互联网 IPv6 专题
3		工业互联网专题
4		集成电路产业专题
5	2019	深度学习专题
6		未来网络专题
7		集成电路芯片制造工艺专题
8		信息光电子专题
9		可见光通信专题
10	大本子	中国电子信息工程科技发展研究（综合篇 2018—2019）

序号	年份	中国电子信息工程科技发展研究——专题名称
11	2020	区块链技术发展专题
12		虚拟现实和增强现实专题
13		互联网关键设备核心技术专题
14		机器人专题
15		网络安全态势感知专题
16		自然语言处理专题
17	2021	卫星通信网络技术发展专题
18		图形处理器及产业应用专题
19	大本子	中国电子信息工程科技发展研究（综合篇 2020—2021）
20	2022	量子器件及其物理基础专题
21		微电子光电子专题
22		光学工程专题
23		测量计量与仪器专题
24		网络与通信专题
25		网络安全专题
26		电磁场与电磁环境效应专题
27		控制专题
28		认知专题
29		计算机应用专题
30		海洋网络信息体系专题
31		智能计算专题

从 2019 年开始，先后发布《电子信息工程科技发展十四大趋势》和《电子信息工程科技十三大挑战》（2019 年、2020 年、2021 年、2022 年）4 次。科学出版社与 Springer 出版社合作出版了 5 个专题，见表 2。

表 2　英文专题汇总

序号	英文专题名称
1	Network and Communication
2	Development of Deep Learning Technologies
3	Industrial Internet
4	The Development of Natural Language Processing
5	The Development of Block Chain Technology

相关工作仍在尝试阶段，难免出现一些疏漏，敬请批评指正。

中国信息与电子工程科技发展战略研究中心

前　言

　　数据中心经过数十年的快速发展,已经成长为互联网数字经济的核心枢纽:海量的数据汇聚于此,经过成千上万台服务器的计算和处理,向数以亿计的用户提供服务。需求的增长推动着数据中心的规模稳步扩大,超过一万台服务器的超大型数据中心已经屡见不鲜。数据中心规模的扩大不仅仅是服务器数量的增长,网络也扮演了非常重要的角色。试想无法互联互通的一台台服务器只会成为算力、存储的"孤岛",无法形成规模效应。因此连接规模巨大的服务器集群,同时向众多用户提供稳定、高效的网络传输服务就成为数据中心网络的重要使命。而在当前东数西算和全国一体化大数据中心建设的大背景下,数据中心网络的重要性愈发凸显。

　　数据中心网络作为专门服务于数据中心的网络基础设施,具有有别于其他类型网络的鲜明特点。首先,由于服务器集群聚集在一处,服务器之间需要大量通信,因此数据中心内部网络需要满足低延迟、高带宽的需求。当然多个数据中心间也有类似的需求,往往会采用专线的形式。其次,数据中心网络对建设成本比较敏感,会倾向于采用高性价比的商用网络硬件,而非像高性能计算领域采用昂贵的、专门定制的网络设备。此外,云服务的发展使得数据中心所承载的大量应用会共享数据中心网络带宽资源。

如何满足每个用户的服务质量需求，防止网络资源被不合理地占用，是数据中心网络管理者关注的重点。

过去数十年间数据中心网络技术创新层出不穷，很多优秀的研究成果被发表在 ACM SIGCOMM、USENIX NSDI、IEEE INFOCOM、ACM/IEEE TON 等著名学术会议和期刊上。许多优秀的互联网企业也在积极布局自身数据中心的建设，一些数据中心网络的经验成果也得以披露。政府层面上，国家针对数据中心的建设提出了具体的指导意见，尤其是东数西算和全国一体化大数据中心建设，其中一些举措与数据中心网络的发展息息相关。本书将以数据中心网络为对象，围绕其发展历程总结相关研究的进展，梳理数据中心网络关键技术的发展脉络。在此基础上对国内外数据中心网络的发展态势进行分析，进而展望未来数据中心网络的演进方向。

本书共分为 5 章，内容安排如下。第 1 章对东数西算和数据中心网络进行概述。第 2 章是本书的主要章节，结合学术著作对数据中心网络发展演进过程中四个主要的技术发展方向即高性能、可编程、虚拟化和智能化进行梳理。第 3、4 章分别介绍国外和国内在数据中心网络方向的发展态势。第 5 章展望了未来极具发展潜力的数据中心网络技术。

本书在撰写过程中，感谢清华大学吴建平院士的建设性修改意见和余少华院士对本书各阶段的学术评审把关、最后审定和修改。感谢国家自然科学基金委员会联合基金项目"基于带内遥测的超大规模数据中心网络架构研究与性能优化"的支持。在此一并致谢。

目　　录

第1章 "东数西算"工程与数据中心网络概述

数据中心网络(Data Center Network, DCN)，是连接数据中心内部的海量服务器、分布式数据中心，以及数据中心与终端用户之间的网络。数据中心网络是伴随着互联网服务规模的增长和升级以及云计算等新型服务模式的兴起而出现的。对于提供大规模互联网服务的公司来说，其服务器数量可能多达数十万台甚至数百万台，网络技术对其至关重要。

数据中心网络可以分为三个部分：①数据中心内部网络。主要连接数据中心内的海量服务器，支持数据中心服务器之间的通信需求。这部分网络可以被视为一种计算机局域网，该部分的流量可称为数据中心的"东西流量"。②分布式数据中心之间的网络。一个互联网业务提供商可能修建多个数据中心(基于异地灾备、降低延迟等考虑)，连接这些分布式数据中心的网络，也是数据中心网络的组成部分。这部分网络大都通过专线(自建或租用)连接，也可采用公共互联网。③连接数据中心和终端用户之间的网络。终端用户一般通过电信运营商的网络来接入到数据中心。数据中心与终端用户之间的流量，被称为数据中心的"南北流量"。随着云计算、大数据与人工智能等技术的发展，数据中心的东西流量占比已超过数据中心总流量的

85%，数据中心网络关键技术研究也更多集中在数据中心内部网络方面。

在当前"东数西算"工程和全国一体化大数据中心算力枢纽体系建设的大背景下，数据中心网络的重要性愈发凸显。

1.1 "东数西算"工程概述

党的十八大以来，我国数字经济蓬勃发展，对构建现代化经济体系、实现高质量发展的支撑作用不断凸显。随着各行业数字化转型升级进度加快，特别是 5G 等新技术的快速普及应用，全社会数据总量爆发式增长，数据资源存储、计算和应用需求大幅提升，迫切需要推动数据中心合理布局、供需平衡、绿色集约和互联互通，构建数据中心、云计算、大数据一体化的新型算力网络体系，促进数据要素流通应用，实现数据中心绿色高质量发展。党中央高度重视发展数字经济，将其上升为国家战略，从国家层面部署推动数字经济发展，并积极推动建设全国一体化大数据中心算力枢纽体系。

2020 年 12 月 23 日，国家发展改革委、中央网信办、工业和信息化部、国家能源局(以下简称四部委)联合印发《关于加快构建全国一体化大数据中心协同创新体系的指导意见》(发改高技〔2020〕1922 号)，提出构建全国一体化大数据中心协同创新体系。2021 年 5 月 24 日，四部委联合印发《全国一体化大数据中心协同创新体系算力枢纽实施方案》，提出布局建设全国一体化算力网络国家枢纽节点，加快实施"东数西算"工程，国家枢纽节点之间进一步打通网络传输通道，提升跨区域算力调度水平，加强云算力服务、数据流通、数据应用、安全保障等方面的探索实践，发挥示范和带动作用。2022 年 3 月，四部委联合复函同意京津冀、长三角、粤港澳大湾区、成渝、贵州、甘肃、内蒙古和宁夏等 8 地启动建设国家算力枢纽节点，并规划了 10 个国家数据中心集群，至此，"东数西算"工程实施的政策框架体系基本建立，"东数西算"工程正式全面启动。

　　"东数西算"工程是我国从国家战略、技术发展、能源政策等多方面出发，在"新基建"的大背景下，启动的一项至关重要的国家工程，将算力资源提升到如同水、电、燃气等基础资源的高度，统筹布局建设全国一体化算力网络国家枢纽节点，助力我国全面推进算力基础设施化。与"西气东输""西电东送""南水北调"等工程相似，"东数西算"是一个国家级算力资源跨域调配战略工程，针对我国东西部算力资源分布总体呈现出"东部不足、西部过剩"的不平衡局面，引导中西部利用能源优势建设算力基础设施，"数据向西，算力向东"，服务东部沿海等算力紧缺区域，解决我国东西部算力资源供需不均衡的现状。

　　从整体上，"东数西算"工程将围绕"五个一体化"的工程目标建设：

　　(1) 网络一体化。

　　围绕集群建设数据中心直连网，建立合理网络结算机制，增大网络带宽，提高传输速度，降低传输费用。围绕集群稳妥有序推进新型互联网交换中心、互联网骨干直连点建设。

(2) 能源一体化。

从国家"双碳"战略整体规划出发，充分发掘西部丰富的风光等可再生资源，应对好可再生能源波动性问题，扩大清洁能源市场化交易范围，促进建立清洁能源消纳的市场化机制。从整体规划层面对数据中心集群进行统一能耗指标调配。

(3) 算力一体化。

在集群和城区内部的两级算力布局下，推动各行业数据中心加强一体化联通调度，促进多云之间、云和数据中心之间、云和网络之间的资源联动，构建算力服务资源池。

(4) 数据一体化。

建设数据共享开放、政企数据融合应用等数据流通共性设施平台。试验多方安全计算、区块链、隐私计算、数据沙箱等技术模式，构建数据可信流通环境。

(5) 应用一体化。

开展一体化城市数据大脑建设，选择公共卫生、自然灾害、市场监管等突发应急场景，试验开展"数据靶场"建设，探索不同应急状态下的数据利用规则和协同机制。

建设"东数西算"一体化大数据中心国家枢纽节点，将对现有的信息技术体系提出诸多挑战，其中网络技术的革新是实现"东数西算"工程的重要保障。国家枢纽节点的部署和"东数西算"工程的推进，将提升我国数据跨区域算力调度能力，打通网络传输通道，推动我国新型网络体系构建。

(1) 优化网络架构,提升网络支撑能力。

"东数西算"工程中,算力是中心,网络是根基,网络是连接用户、数据和算力的桥梁,算网一体化是东数西算的重要环节。"东数西算"工程,将推进东西部地区网络架构和流量疏导路径优化,基于全光底座和统一 IP 承载技术的网络建设,实现云边端高速互联。国家枢纽节点之间的定向高速互联,将降低国家枢纽节点间网络时延,满足跨区域的数据交互,支撑高频实时交互业务需求。

基于 8 个国家枢纽节点的部署,将建设和优化国家枢纽节点集群之间、节点区域内集群和主要城市间的数据中心直连网络,对于东部具有 1 个以上集群的枢纽节点,还将优化提升枢纽节点内多集群间的网络组织。网络质量方面,将重点提升网络带宽、网络时延、网络可靠性等性能,并考虑高品质业务传输质量需求。

(2) 打造智能网络,支撑高效算力调度。

面对全国一体化大数据中心算力枢纽体系,"东数西算"工程将推动打造一批算力高质量供给、数据高效率流通的大数据发展高地。跨网、跨地区、跨企业的算力高效调度,需要智能、感知、灵活、确定的高速网络支撑。

高速智能网络是未来网络发展的趋势,也是赋能"东数西算"的重要动力。将基于 AI 的智能运维能力,实现网络主动感知、智能诊断、自愈闭环;基于"IPv6+"的应用感知能力,面向业务实现应用感知,提供网络差异化服务和调度,即时调用;采用 SRv6 智能选路等技术,一跳实现入云和云间连接，网络可编程，实现业务灵活调度；通过切片技术实现层次化切片，业务隔离，SLA 可保障，实现确定性业务体验，保障用户的上云体验。

(3) 构建网络安全体系，支撑数据安全传输。

数据信息传输过程中，物理设施、网络安全、应用安全、数据安全和信息安全等方面可能会面临多重风险。而"东数西算"工程实现的算力资源开放使用则面临着更多的信息安全问题，算力资源在从申请、使用再到结算清退，过程中至少跨越使用方和供给方的边界，一旦有风险，不仅导致算力使用方出现漏洞，也会引发算力供给方的隐患，从而给整个算网资源体系带来风险。因此，如何在数据开放共享、大范围多方融合应用的需求和场景下实现端到端的安全，需要技术突破和政策制定等多方面努力，例如：采用和部署内生安全的基础设施，合理规划网络的安全区域以及不同区域之间的访问权限，试验多方安全计算、区块链、隐私计算、数据沙箱等技术模式，做好网络安全态势监测。

1.2 数据中心网络概述

数据中心网络是落实"东数西算"工程的重要支撑技术。数据中心网络已经成为互联网基础设施的重要组成部分，很多大型互联网公司的数据中心网络都有完全独立的 AS 号、IP 地址段等互联网资源。数据中心网络加入互联网的部分，既包括传统意义上的"计算机局域网"，即单个数据中心的内部网络；也包括传统意义上的"广域网",即分布式数据中心之间的网络。

由于加入了互联网,数据中心网络的所有运行规则,也与互联网无异,包括但不限于以下规则:①通过运行域间路由协议向外发布数据中心网络的 IP 地址前缀及路由;②数据中心网络内的每台服务器都分配一个 IP 地址;③数据中心网络中的每个节点运行 TCP/IP 协议栈,与互联网其他部分所交互的报文,都要封装一个 IP 头部。数据中心网络内部服务器之间交互的流量,其协议栈的选择可以相对灵活。例如,既可以采用"大二层网络"(用媒体存取控制(Media Access Control, MAC)地址转发),也可以采用 RoCE(RDMA over Converged Ethernet)协议栈;但即使在这两种情况下,一般也会给报文封装 IP 头部。

与传统的园区网、企业网相比,数据中心网络存在以下特点。

(1) 数据中心内部网络的流量主要是服务器本身产生的,而传统的园区网、企业网的流量的产生则主要受到人为因素的影响。数据中心把海量的服务器进行互联,不管是数据中心网络的内部流量,还是数据中心与终端用户之间的通信流量,数据中心网络的流量都是由服务器产生。因此数据中心网络的流量往往具备突发性强、缺乏规律性的特点,流量的可预测性不强。

(2) 数据中心内部网络的链路密集、拓扑规整性强。与园区网、企业网等相比,数据中心网络主要是把海量服务器进行互联,这些服务器都被进行密集放置,因此服务器之间的链路也非常密集。为了让这些服务器进行更好的互联通信，服务器之间的互联拓扑也往往具有较强的规整性，如 Fat-Tree、VL2、BCube 等拓扑。

(3) 数据中心内部网络的端到端带宽极高、延迟极低。由于当前的互联网服务规模不断增加，数据中心网络产生的流量极高，服务器之间的端到端带宽当前已经达到 100/200Gbps，未来还会继续增长；作为对比，园区网、企业网的端到端带宽往往在 Mbps 级别。由于数据中心网络连接的服务器之间距离很近，带宽极高，因此服务器之间的端到端延迟极低，往往在微秒级别；作为对比，园区网、企业网的端到端延迟往往在毫秒级别。

第 2 章　数据中心网络关键技术与标志性成果

本章从"高性能""可编程""虚拟化""智能化"四个方面，分别介绍数据中心网络领域的关键技术与标志性成果。

2.1　高性能数据中心网络

越来越多新型应用不断在数据中心部署，它们对数据中心网络也提出了更高的要求，许多针对数据中心的网络优化技术不断地被提出，以提供极高带宽(Tbps 级)、极低延迟(微秒级)的网络服务。为此，数据中心网络建设在互联拓扑、路由协议和传输协议等设计上都要满足高性能需求。

2.1.1　数据中心网络互联拓扑

当前，业界研究人员基于不同规则提出多种用于构建高性能数据中心网络的拓扑结构。其中，依据网络中负责转发数据的设备不同，可以将拓扑分为以交换机为核心的拓扑、以服务器为核心的拓扑及混合型拓扑等类型。下面主要从网络拓扑的构建原则、扩展方式、扩展能力、网络性能参数及网络拓扑的优缺点等方面介绍几种经典的数据中心网络拓扑。

1) 传统树形结构

传统树形结构是早期用于构建数据中心的网络拓扑。如图 2.1 所示，该拓扑是一种多根树形结构，属于 switch-only 型拓扑，底层采用商用交换设备与服务器相连，高层则采用高性能、高容量、高速率交换设备。传统树形结构简单，易于实现，但存在一系列的缺点。①扩展能力有限：传统树形结构在扩展规模时采用垂直扩展(scale-up)方式，通过添加更高的层数及设备实现扩展，但受限于高层互连设备的端口数目，其扩展能力有限。例如对于二层的树形结构，一般最多能够容纳 5000～8000 个服务器，三层最多容纳数万个节点，因此该结构难以满足现代数据中心的高可扩展性要求。②网络容错性能较差：当网络节点或链路出现故障时，很容易使得网络分离为相互独立的子网，导致网络瘫痪，性能恶化。③流量分布不均匀，流量容易在核心根节点处汇集，导致核心根节点容易成为网络性能的瓶颈。另外，网络存在严重的过载问题，底层数据传输难以充分利用边缘层及聚合层的网络带宽。为提高网络性能，解决过载问题，高层采用高性能、高容量的交换设备，但这种方案只能在一定程度上缓解过载及热点问题，难以从根本上解决。④成本高昂：通过采购高端口密度、高性能交换设备来构建数据中心，致使设备成本高昂，不利于构建大规模的数据中心。

2) Fat-Tree 拓扑结构

Fat-Tree 拓扑结构[1]是由加利福尼亚大学圣迭戈分校(University of California San Diego, UCSD)的 Al-Fares 等

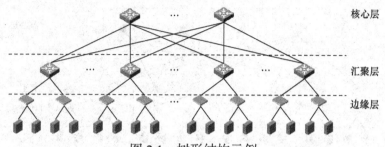

图 2.1　树形结构示例

人在传统树形结构的基础上提出的，属于 switch-only 型拓扑。如图 2.2 所示，整个拓扑网络分为三个层次，自下而上分别为边缘层(Edge)、汇聚层(Aggregation)及核心层(Core)。其中汇聚层交换机与边缘层交换机构成一个Pod，交换设备均采用商用交换设备。Fat-Tree 构建拓扑规则如下：Fat-Tree 拓扑中包含的 Pod 数目为 k，每个 Pod 内连接的服务器数目为$(k/2)^2$，每个 Pod 内的边缘交换机及汇聚交换机数量均为 $k/2$，核心交换机的数量为$(k/2)^2$，网络中每一交换机的端口数目为 k，网络所能支持的服务器总数为 $k^3/4$。Fat-Tree 结构采用水平扩展(scale-out)的方式，当拓扑中包含的 Pod 数目增加，交换机的端口数目增加时，Fat-Tree 拓扑能够支持更多的服务器，满足数据中心的扩展需求。如 $k = 48$ 时，Fat-Tree 能够支持的服务器数目为 27648；Fat-Tree 结构通过核心层的多条链路实现负载的及时处理，避免网络热点；通过在 Pod 内合理分流，避免过载问题。

3) DCell 拓扑结构

DCell 结构[2]是由微软研究人员提出的拓扑结构，该拓扑利用低端交换设备，采用递归的方式对数据中心内的

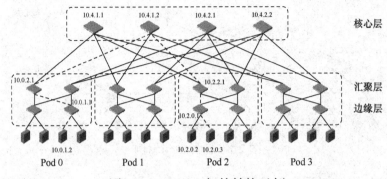

图 2.2　Fat-Tree 拓扑结构示例

服务器进行互连。在 DCell 结构中，交换机与服务器都具有数据转发的功能，因此 DCell 拓扑属于混合型拓扑。

如图 2.3 所示，DCell 拓扑通过使用端口数量较少的迷你交换机与多网络接口服务器以递归方式构建大规模网络。在 DCell 结构中，存在两种连线方式，即服务器与交换机相连以及服务器与服务器相连，不存在交换机与交换机相连的情况。DCell$_0$ 结构是构建拓扑的基本单元，n 代表 DCell$_0$ 中交换机的端口数目，k 代表 DCell 结构的层数。若在 DCell$_{k-1}$ 中包含 t_{k-1} 个服务器，则 DCell$_k$ 将由 $t_{k-1}+1$ 个 DCell$_{k-1}$ 构成，这就意味着很小的 n、k 即可容纳很多的服务器，且随着节点度的增加，服务器的数目呈 e^2 增长。如 $n=4$，$k=3$，则 DCell$_3$ 可以容纳 176820 个服务器，从而满足网络的高度可扩展性要求。DCell 结构中每一层次以全连通方式互连，可以提供高对分带宽传输及良好的容错性能。

因其结构特点，DCell 拓扑也存在一定缺陷：①每层结构之间以全连通方式互连，网络拓扑不规整，使得布线复杂度较高，不利于工程实施及自动化配置、管理等；②当网络链路故障率超过一定阈值时，网络将会被分离成多个孤立的子网，导致网络瘫痪；③在 all-to-all 通信模式中，网络流量分布不均匀，低层流量比较集中，容易导致网络拥塞；④以长链路取代高性能交换机，导致链路开销增加；⑤服务器节点度的增加，导致网卡数量显著提高，网络成本进一步提升。针对 DCell 结构的缺陷，研究人员在 DCell 结构的基础上，提出了 Generalized DCell 拓扑[3,4]，并指出 DCell 结构是这类拓扑中的特例。这些拓扑设计既能保证 DCell 结构的优点，又能克服 DCell 结构的缺点，使得拓扑流量分布更加均匀，拓扑结构更加规整，方便布线及自动化配置。

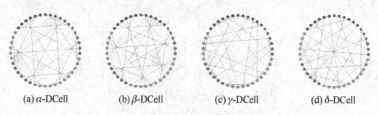

(a) α-DCell　　　　(b) β-DCell　　　　(c) γ-DCell　　　　(d) δ-DCell

图 2.3　Generalized DCell 拓扑结构示例

4) BCube 拓扑结构

BCube 结构[5]是微软研究人员提出的一种新型拓扑结构，主要是为模块化的数据中心集装箱互连而设计。BCube 的设计思想与 DCell 类似，采用多网络接口服务器和商用迷你交换机，以递归方式构建大规模数据中心网络。在 BCube 结构中，服务器不仅是数据处理、存储的场所，也承担数据转发的职责，因此 BCube 结构可看作混合型拓扑。

如图 2.4 所示，BCube 的构建思想如下：定义 k 为

BCube 网络拓扑的层数，n 为迷你交换机的端口数目，BCube$_0$ 是结构的基本单元，BCube$_0$ 由 n 个服务器和一个 n 端口的迷你交换机互连而成。BCube$_1$ 由 n 个 BCube$_0$ 和 n 个 n 端口的迷你交换机组成，BCube$_k$ 由 n 个 BCube$_{k-1}$ 和 n^k 个 n 端口的迷你交换机组成。在 BCube$_k$ 中的服务器具有 $k+1$ 个端口，分别编号为 0 到 k。BCube 中，交换机只与服务器互连，不存在交换机与交换机互连以及服务器与服务器互连的情况。

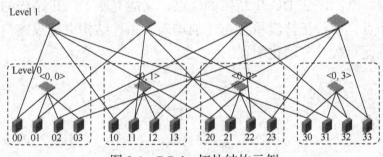

图 2.4　BCube 拓扑结构示例

数据中心拓扑构建方面还有很多新的设计思想不断被提出，如 MDCube[6]、FiConn[7,8]、HCN[9]、BCN[10]、Scafida[11]、雪花结构[12]和基于 Kautz 图的结构[13]等。随着数据中心规模和网络服务质量的不断提升，如何高效互联和有效管理海量网络设备正面临十分严峻的挑战。未来还会提出更多的数据中心拓扑，以提升现代数据中心系统的网络服务能力。

2.1.2　数据中心网络路由协议

与传统的局域网或者广域网路由协议相比，数据中心网络路由最大的特点是以负载均衡路由为主。传统局域网或广域网使用的路由协议主要有两类：内部网关协议(Interior Gateway Protocol, IGP)和外部网关协议(Border Gateway Protocol, BGP)。内部网关协议包括路由信息协议(Routing Information Protocol, RIP)、开放式最短路径优先(Open Shortest Path First, OSPF)和中间系统到中间系统(Intermediate System to Intermediate System, IS-IS)；外部网关协议包括 BGP 和域内路由选择协议(Inter-Domain Routing Protocol, IDRP)。它们有一个共同特点，即建立 TCP 连接后，采用单条路径完成流量的传输。不同于传统局域网和广域网，数据中心网络的拓扑规整、链路资源密集，任意两个服务器或网络节点之间可能存在几十条甚至上百条不同的等价路径(如，一个 K 层的 Fat-Tree 网络中，在两个跨机架的主机间存在 $\dfrac{K^4}{4}$ 条等价路径)，因此在数据中心网络中使用传统的链路状态路由协议(如 OSPF)会导致链路资源利用率极低。此外，由于数据中心网络规模巨大、链路时延极低，传统路由协议的收敛速度也无法满足数据中心网络高速数据传输需求[14]。相比于单路径传输，多路径传输能够将流量分配到多条等价路径上，从而充分利用网络带宽资源、降低流完成时间并减少网络拥塞的发生。因此，如何将流量(主要是东西流量)均匀地分布在多条并行路径上进行负载均衡路由，是数据中心网络路由协议设计的关键。

　　在数据中心网络中进行负载均衡路由需要紧密结合数据中心网络的拓扑结构和流量模式。从流数量来看，数据中心中 80%的流是字节数小于 10KB、对时延较为敏感的小流(mice flow)，这些流通常在毫秒级时间内即可完成传输；少数流(10%左右)是大小在 100MB～1GB 的大流(elephant flow)，这部分流贡献了在网络中传输的绝大部分流量，往往也容易导致拥塞。在数据中心网络中，一个 100Gpbs 端口处理单个数据包的时间不超过 500ns，端到端延迟在 1ms 以内。因此，数据中心网络需要关注更小时间尺度(微秒级)的流量特征。负载均衡路由策略会对端到端吞吐造成很大的影响。根据负载均衡路由粒度的大小，数据中心网络负载均衡路由方案主要有三种方法：基于流(Flow)的负载均衡路由、基于分组(Packet)的负载均衡路由，以及基于流片(Flowlet)的负载均衡路由。

1) 基于流的负载均衡路由方案

基于流的负载均衡路由，是以流为单位进行路由计算，把不同的流路由到不同的等价路径上，同一条流的数据包经过相同的路径，即在一条流完成传输前不进行重路由。一般定义具有相同五元组(源 IP 地址、目的 IP 地址、源 MAC 地址、目的 MAC 地址及协议类型)的数据包属于同一条流。

最典型的基于流的负载均衡路由方案是等价多路径(Equal Cost Multiple Path, ECMP)[15]。ECMP 也是目前工业界广泛使用的一种方案，其通过哈希方式进行路径选择。ECMP 的优点是实现简单、运行效率高、无报文乱序、无需检测网络中每条链路的负载信息，并且无需获取网络的拓扑信息。其主要问题是：不区分对待大流和小流，造成不同路径的带宽利用率相差较大；哈希算法的冲突问题，将多条大流路由到同一路径，降低吞吐量，难以实现精确的负载均衡；不监测路径负载信息，可能会将流路由到拥塞路径，进而导致网络拥塞加剧。因此业界提出了许多对ECMP进行改进的方法。例如，AI-Fares等人于2010年提出的 Hedera[16](谷歌公司)是基于软件定义网络(Software Defined Network, SDN)的负载均衡路由方案，其通过动态预测大流的带宽，利用全局首次匹配和模拟退火算法对流量进行分配。Hedera的优势在于利用软件定义网络实现了对网络的全局掌控，在平均对分带宽性能指标上优于ECMP，但也存在诸多问题：Hedera 属于被动式拥塞控制方案，重路由会降低网络吞吐；粒度过粗，算法的检测周期为5s，若缩短检测周期，集中式控制方式将带来极大的开销；大流估计不准确，算法根据流的速率阈值来筛选大流，但并非所有大流都能达到此阈值。Benson 等人于2011年提出的microTE[17]及Andrew R等人于2011年提出的 mahout[18]也是基于 OpenFlow[19]交换机的集中式负载均衡路由方案，同样面临着粒度过粗问题，仍无法达到毫秒级的检测粒度。microTE 利用数据中心流量矩阵的短期和部分预测性，为可预测流量和不可预测流量分别进行路由决策，然而数据中心网络流量是否可预测是一个仍有争议的话题。由于在网络中检测长流的开销较高且延迟较大，mahout 提出在端主机上利用套接字(socket)缓存区来检测长流。此外，Abdul Kabbani(谷歌)等人于2014年提出了基于端主机的负载均衡方案 Flowbender[20]，其通过显式拥塞控制(ECN)来检测拥塞。当被标记的数据包超过一定阈值，Flowbender 通过修改 IP 包头生存时间(Time To Live,

TTL)字段引发重路由。其主要优势在于不修改硬件和软件设施，但其仍是基于哈希的方式选择路径，无法完全避免拥塞的发生。基于流的负载均衡路由方案不会造成包乱序，但数据中心网络不同流的数据量和发送速率差异较大，且存在明显的流量突发，因此，基于流的粗粒度负载均衡方案很难充分利用网络资源，达到最优负载均衡效果。

2) 基于分组的负载均衡路由方案

基于分组的负载均衡路由，会为每个数据包(TCP/IP协议通信传输中的数据单位)选择合适的路由路径，即同一条流的不同数据包的路由路径可以不同。这类方法的优势是，通过细粒度的路由决策，理论上可以在多条并行路径之间实现接近最优的负载均衡效果，从而提升端到端的网络吞吐率。这一方法的缺点在于，如果同一条流的不同数据包的传输路径不同，包到达顺序可能与发送顺序不同，TCP 协议会把包乱序当作网络丢包来处理，从而严重影响网络性能。因此，包乱序是基于分组的负载均衡路由方案要解决的一个重要问题。

Zats 等人于2012年提出了 DeTail[21]，其通过链路层、网络层、传输层和应用层的配合达到对较长的流减少丢包、对时延敏感的流进行优先级排序平衡网络负载的效果。DeTail 在链路层利用缓冲建立一个无损环境；网络层基于负载均衡为每个包选择路径，避免拥塞；传输层将端口占用情况作为拥塞通知，在应用层设置流的优先级，区分时延敏感与不敏感的流，保证时延敏感的流不被低优先级的流阻塞。Perry 等人于 2014 年提出 FastPass[22]，其主

要优化目标是实现数据中心网络的零队列延迟，FastPass
对每个数据包何时发送以及选择哪条路径进行集中式控
制。FastPass 由两个组件构成：时隙分配模块和路径选择
模块，时隙分配模块决定何时传输每个数据包以实现最大
最小公平(max-min fairness)或最小化流完成时间等目标。
路径选择算法将已分配时间片的数据包分配给具有零排队
延迟的路径。Ghorbani 等人于 2017 年提出的 DRILL[23]，
是一种利用本地交换机信息进行路由决策的包粒度分布式
负载均衡路由方案，避免了因收集全局信息带来的额外开
销，能够及时应对数据中心网络中的流量突发。DRILL 在
主机的通用接收卸载(Generic Receive Offload, GRO)层部署
一个缓冲区来对包进行重排序，从而减轻包乱序的影响，
但其需要对交换机做一定程度的修改。Zhang 等人于 2017
年提出了 Hermes[24]方案，其主要关注如何应对网络的不
确定因素，比如流量的动态变化、拓扑的不对称性和故障
的发生。Hermes 利用端主机检测 ECN 标记和链路时延来
感知链路故障，同时在端主机间周期性发送探测包来提高
链路状态的可视化。基于分组的负载均衡路由方案可以充
分利用网络多并行路径的特性，但是需要解决包乱序问
题，否则无法实现其理论上接近最优的负载均衡效果。

　3) 基于流片的负载均衡路由方案

　　基于流片的负载均衡路由，以流片为单位进行路由计
算。流片是介于流和包之间的负载均衡路由粒度，一个流
片通常是来自同一条流的部分数据包的集合。流片级别的
负载均衡路由方案通常在端主机对流进行分割，将长流分
割为多个流片。根据流片的大小是否固定又可以分为

Flowlet 和 Flowcell。一个 Flowlet 通常是一组突发的数据包，即两个相邻的 Flowlet 之间的时间间隔通常足够大能在一定程度上避免因路径不同而造成的包乱序。一个 Flowcell 通常是固定大小的流片。

基于流片的典型方案有 Alizadeh 等人于 2015 年提出的 CONGA[25]，它是一种基于 Leaf-Spine 二层网络拓扑的分布式负载均衡路由方案。CONGA 设计了分布式算法实现全网拥塞信息的收集，克服了集中式方案因要收集全局信息而不能对拥塞做出快速反应以及本地决策由于不能收集全网信息而很难实现较优决策的弊端。He 等人于 2015 年提出的 Presto[26]是一种基于端节点的分布式负载均衡路由方案。Presto 发现 ECMP 在网络对称且小流居多的情况下性能良好，因此 Presto 将一条流分割成等大小的 Flowcell(64KB)，然后采用 ECMP 的路由策略路由 Flowcell。Presto 在接收端同样采用 GRO 算法将乱序包合并成有序的片段后交付给传输层。思科在 2017 年提出了 Letflow[27]，其随机为每个 Flowlet 选择一条传输路径。Letflow 的设计基于作者观察到的一个事实：对于拥塞状况良好的路径，基于 TCP 协议的传输层会以更快的速率发送数据，因此 Flowlet 会更大，传输到状态好的路径上的数据自然就会更多，因此可以不需要网络提供额外的拥塞信息进行决策。Letflow 将两个 Flowlet 之间的时间间隔定为 500ms。基于流片的负载均衡路由方案能缓解流级别方案的大流碰撞问题，且相比于基于分组的方案对传输层协议较为友好，不会产生大量的包乱序。但是其不能充分利用所有可行路径，较难实现最优的负载均衡性能，且当网络流量突发严重时，也会导致报文乱序。

2.1.3　数据中心网络传输协议

围绕对 TCP 协议的改进，数据中心网络提出了一系列新型传输协议。比如数据中心里由于普遍存在"多对一"的数据传输，因此很容易产生 TCP Incast 问题。为解决这一问题，DCTCP 和 ICTCP 协议被提出，并且 DCTCP 协议已经进入 Linux 内核。数据中心许多任务都具有对"完成时间"的要求，因此提出了一系列能感知任务的协议，如 D2TCP 协议。围绕多路径传输，提出了多路径传输控制协议(MultiPath TCP，MPTCP)。

数据中心网络一般需要满足 3 点要求：①对短数据流(实时消息)提供低时延传输，②对突发数据流具有高容忍性，③提高长数据流的带宽利用率。然而使用 TCP 协议的长数据流往往会将交换机的缓存消耗殆尽，从而导致短数据流被迫排队等待，造成了数据中心网络中短数据流的高时延。DCTCP[28]通过显式拥塞通知(ECN)来探测网络中发生的拥塞。发送端通过数据包被 ECN 标记的比例来估计网络拥塞程度，将之与控制策略相结合，从而保证交换机缓存的队列长度始终低于某个阈值，这样短数据流就可以避免长时间排队，同时长数据流可以实现较高的吞吐量。

TCP Incast 问题在数据中心里很常见。先前的解决方案着重于通过更快的重传来减少等待数据包丢失恢复的时间，或通过在发送方和接收方使用 ECN 和定制的 TCP 来控制交换机缓冲区的占用以避免溢出。ICTCP[29]设计了新的拥塞避免算法。ICTCP 在接收方执行拥塞避免，这是因为接收方知道所有TCP连接的吞吐量和可用带宽，因此可以通过调整每个TCP连接的接收窗口大小来控制所有同步发送方的总流量大小。接收窗口的合理控制并不容易，一方面接收窗口应足够小，以防止 Incast 拥塞，另一方面接收窗口也应足够大，以实现较高的吞吐性能。由于连接数量、流量大小、网络状况等因素的动态变化，某个环境下的窗口调节机制可能不适用于其他环境。ICTCP 首先在系统层面执行拥塞避免措施，其次 ICTCP 利用每条流状态单独地对每个连接的接收窗口进行细调。

数据中心里运行的很多应用是面向用户的，而应用程序的反应延迟会极大地影响用户体验。由于这些应用往往需要在服务器之间交互，因此数据中心网络需要满足这些应用的传输期限。典型的数据中心同时托管多个应用程序以实现数据中心资源的灵活使用和高利用率，因此具有不同截止时间的流量和没有截止时间的后台流(例如 Web 索引更新)共享网络。数据包在交换机上的拥塞和因此引发的丢包与重传经常导致一些应用错过最后的传输期限。D2TCP[30]在传输协议层面增加了截止期限设计并提出了新的拥塞避免算法。该算法将 ECN 反馈和截止期限信息作为伽马校正函数的输入，以调整拥塞窗口大小。D2TCP实现了基于期限的优先级划分，从而优先处理期限更近的流量，同时确保拥塞不会恶化。D2TCP 不需要更改交换机硬件，仅需升级 TCP 协议栈和远程过程调用(Remote Procedure Call Protocol, RPC)堆栈，而且可以与旧式 TCP 共存，实现增量部署。

MPTCP[30]是 Internet 工程任务组(IETF)的多路径 TCP

工作组正在进行的一项工作，该工作组旨在允许 TCP 连接使用多条路径来最大化资源利用率并增加冗余。MPTCP 还为数据中心环境带来了性能优势。与使用 802.3ad 链路聚合的以太网通道绑定相反，MPTCP 可以在多个接口之间平衡单个 TCP 连接，并达到很高的吞吐量[31]。

　　除了对 TCP 协议的改进之外，数据中心网络也采用其他的传输协议，比如 RoCE[32]，以充分利用数据中心网络的高带宽网络资源。RoCE 协议被广泛地使用在分布式机器学习训练、分布式数据库等场景中。

2.2　可编程数据中心网络

　　由于数据中心网络往往被某个公司或机构独有，数据中心管理者会根据应用的独特需求对网络设备的功能进行定制，比如自定义路由转发规则、自定义安全策略、自定义隧道封装格式等。在这种情况下，提供确定性转发规则的传统路由器/交换机往往不能满足数据中心网络的需求，而需要提供自定义和灵活定制功能的可编程交换机。软件定义网络是可编程数据中心网络的代表性技术。软件定义网络技术早期以 OpenFlow 协议为代表，近期以协议无关的包处理器编程语言(Programming Protocol-Independent Packet Processors, P4)技术为代表，通过灵活定义交换机的转发字段，把数据中心网络的所有网络设备统一起来，并且可以根据用户需求对网络设备的功能进行灵活定义。此外，软件定义网络技术还为数据中心网络的精细化测量提供了使能技术，使得数据中心网络维护者可以精确感知网络的实时状态信息，从而及时地调整流量路径、感知并恢复网络故障。基于 IPv6 的分段路由(Segment Routing based on IPv6, SRv6)也是一项关于可编程网络的技术。通过分段路由技术，用户可以自定义报文转发路径。与基于多协议标签交换的分段路由(Segment Routing Multi-Protocol Label Switching, SR MPLS)相比，SRv6 的一大优势是可以把数据中心网络与广域网打通，形成全路径一体化的分段路由。

2.2.1　OpenFlow

OpenFlow 技术起源于斯坦福大学 Clean Slate 项目组。Casado 和 McKeown 教授将先前提出的 Ethane[33]的设计一般化，把传统网络设备分离为数据转发平面和路由控制面，通过集中式的控制器以标准化的接口对各种网络设备进行管理和配置，从而提出了开放网络的思想。该项目组于 2008 年在 ACM SICOMM CCR 发表了论文 OpenFlow: Enabling Innovation in Campus Networks[19]，并于次年发布了 OpenFlow1.0 版本标准。2011 年开放网络基金会(Open Network Foundation，ONF)由谷歌、微软、脸书、雅虎和德国电信共同成立。ONF 致力于推动软件定义网络技术的发展，并加大 OpenFlow 的标准化力度。该组织陆续制定了 OpenFlow 1.1、1.2、1.3、1.4、1.5 等标准，而且目前仍在完善中。

OpenFlow 网络由 OpenFlow 交换机、控制器(Controller)和用于连接设备和控制器的 OpenFlow 通道(Channel)组成。OpenFlow 交换机通过 OpenFlow 通道与控

制器进行通信。交换机的数据平面包含流表、组表和计量表。流表(Flow Table)是存放流表项的表,是整个OpenFlow 交换机的核心部分。组表(Group Table)用于定义一组可被多个流表项共同使用的动作。计量表(Meter Table)用于计量和限速。OpenFlow 交换机以 OpenFlow 流水线(Pipeline)的方式处理所收到的数据包。OpenFlow 交换机的工作流程如下:在收到数据包后,OpenFlow 交换机会在流表上执行匹配的功能。OpenFlow 交换机首先抽取出数据包的报头部分,不同的协议会有不同的数据报头。除报头外,匹配还有可能包含进入端口(ingress port)、元数据域(metadata fields)或者其他流水线域(pipeline fields)。当一个流表项的所有匹配域与来自数据包的报头和流水线域均匹配时,该数据包就匹配了这个流表项。数据包会匹配流表中最高优先级的流表项,更新流表项上的计数器,执行相应的处理指令。

通过对流表项的匹配,OpenFlow 能对不同的数据包执行不同的策略,使其能够适用于各种负载均衡场景。为了能够根据工作负荷按需分配、动态规划资源,提高资源的利用率,达到节能环保的目的,ElasticTree 方案[34]使用OpenFlow 提供的功能,在不影响性能的前提下,根据网络负载动态规划路由,从而可以在网络负载不高的情况下选择性地关闭或者挂起部分网络设备。

网络测量技术 NetSight[35]是在 OpenFlow 交换机上实现的。NetSight 对数据包的每一跳生成一个包含输出端口号和转发状态的条目(Postcard),之后再将一个数据包下所有的 Postcard 整合为一个完整的包的生命历史。通过这一记录和对应的查询模块，NetSight 能方便地知晓特定的网络事件是否发生，为网络测量、网络异常检测提供支持。NetSight 并没有涉及对交换机的针对性修改，只是利用了 OpenFlow 本身的包头数据提取能力，同时它主要工作在端侧，交换机只需要提取特征后转发给专门的 NetSight Server，这些特征也是后文将介绍的改进工作的主要方向。

2.2.2　P4

虽然 OpenFlow 推动了软件定义网络的发展，但是其本身也存在不少固有的问题，如 OpenFlow 对转发平面的编程能力不足，以及设计本身所带来的可扩展性不足。OpenFlow 从标准 1.0 到标准 1.5，报头域(Header field)数量从 12 个增长到了 45 个。但 OpenFlow 并不支持弹性增加报头域，导致每次新增报头域都要重新编写控制器、交换机协议栈和交换机的数据包处理逻辑。这不仅增加交换机设计的难度，而且影响 OpenFlow 版本的稳定性，最终影响 OpenFlow 的推广。为了解决 OpenFlow 对转发平面的编程能力不足的问题，P4[36]高级编程语言被提出。相比于 OpenFlow，P4 有如下的优点：①可重配置性。P4 可以做到灵活定义转发设备数据处理流程，且可以做到转发无中断的重配置。②协议无关性。交换机等交换设备无需关注协议语法、语义等内容，就可以完成数据处理逻辑。③设备无关性。使用 P4 语言进行网络编程无需关注底层设备的具体信息。P4 编译器将通用的 P4 语言处理逻辑编译成设备相关的指令，然后写入转发设备，完成转发设备的配置和编程。

P4 凭借更强的通用性和对更复杂逻辑的支持，在负载均衡问题中也有广泛的应用。HULA[37]是一个基于可编程硬件的数据中心网络负载均衡方案。其逻辑功能均通过 P4 实现，可以动态地根据网络情况进行调整与修改，同时每一台 HULA 交换机只需要记录下一跳的相关信息，极大地节省了存储空间，使其能够应用于一些非常大规模的网络环境中。Beamer[38]是一个基于 P4 实现的传输层负载均衡器，传统负载均衡在对每个流分配好策略后会一直沿用该策略，这在 Flood 攻击或者一些大流场景中会出现性能下降，而 Beamer 则通过可编程硬件实现了多个独立的负载均衡器，通过彼此之间的信息交换和转发实现了无状态的负载均衡逻辑，在保证性能的同时还能极大提高模型的可扩展性。

P4 为数据中心网络的精细化测量提供了使能技术，使得数据中心网络维护者可以精确感知网络的实时状态信息，从而及时地调整流量路径、感知并恢复网络故障。带内网络遥测[39](In-band Network Telemetry, INT)是目前学术界和工业界的研究热点。带内网络遥测技术通过在数据平面将网络性能指标以元数据的形式携带在数据包头中，使得端侧能够获悉流量在网络中的状况。带内遥测技术主要有以下优点：①无需交换机 CPU 参与即可获取丰富的网络性能指标；②提供交换机流水线的深度可见性，不仅能够获得端口计数器等现有网络监控工具可获取的性能指标，也可以获取包括排队延迟和实时队列占用率等在内的现有监控工具难以获取的性能指标；③提供包级别的测量粒度，能够在每个数据包经过网络时测量出各个网络环节的状态。这些优点使得带内网络遥测可以对网络的实时状态信息进行感知，从而方便研究者设计出更加有效的拥塞控制算法(如 HPCC[40])和能够感知带宽利用率的路由算法(如 CLOVE[41])。

　　如何测量网络中的大流也是一个非常重要的任务，大流的检测能为缓解拥塞、识别 DOS 和检测网络异常提供重要的信息。早期工作往往基于数据采样并统计，在采样率较低时结论不够准确，而提高采样率又会降低传输性能并提高存储开销。P4 通过引入可编程设备，为这一问题提供了新的解决空间。HashPipe[42]部署在可编程交换机上，将数据包的源地址与目的地址哈希后存储在键值对中。通过巧妙地维护多个队列来处理哈希冲突，HashPipe在识别准确度和网络开销之间取得了一个很好的平衡。在此基础上，Harrison[43]将基于 P4 的大流检测从单个交换机进一步扩大到适用于整个网络的分布式探测模型。

　　Barefoot Networks 公司(已被英特尔公司收购)所设计的 Tofino 交换机是世界范围内具备 P4 完全可编程功能的交换机产品。Tofino 交换机装备了基于可编程协议无关交换机(Protocol Independent Switch Architecture, PISA)架构的芯片，其最大的亮点是可以将中间件(middlebox)功能编写到可编程芯片上，从而使得交换机能够提供从负载均衡到分布式拒绝服务(Distributed Denial of Service，DDos)攻击检测和防火墙等一系列网络功能[44]。这些原本需要由专用设备所提供的网络功能，现在可以通过 P4 编程语言在交换机上实现，不但减轻了网络管理的复杂程度，而且也提高了网络功能部署的灵活性。LossRadar[45]可检测数据包丢失情况。数据包丢失对数据中心网络的性能有非常大的影响，但传统的网络监视工具往往难以获得足够多的信息(比如数据包丢失的具体位置和包头的信息)，不便于展开具体分析。LossRadar 则将这一检测任务放到了可编程交换机上，减轻了端侧的负荷，在低内存与带宽开销的前提下能够对每个丢失数据包给出完整信息，同时辅以损耗分析工具来更好地检测其中的问题。KeySight[46]是一个检测数据包行为并从中发现异常的网络故障诊断工具。基于 OpenFlow 的 NetSight 对数据包的每一跳生成 Postcards 的日志条目，但这无法在可扩展性和覆盖率上同时达到优秀的性能，而 KeySight 则利用 Tofino 等可编程器件，对 Postcards 提取本质特征建立等效类，通过将同样行为的数据包予以聚合，在保证高覆盖率的同时降低开销，保证了可扩展性。

网络安全方面，P4 同样有着广泛的应用。在数据中心网络中，网络的采样安全也是一个重要问题，端侧的网络数据采集可能因为设置不当或者恶意攻击而无法准确反映网络问题，导致不良行为。Count-Min[47]是在数据采集的安全性上进行改良的工作，它基于 P4 在可编程交换机上实现了对检测信息的加密和传输，在不带来额外开销的情况下能保证其不会被恶意修改和攻击，保证了整个网络环境的安全性。

基于 P4 的可编程设备还能为数据中心网络提供更多的算力扩展。虽然可编程网络设备的设计初衷不是执行大型计算任务，但把一些简单的并行计算任务卸载到网络中也能带来一些性能优势。P4MR[48]将一部分分布式任务卸载到了数据平面，传统方法在执行 Map reduce 任务时需要在端侧进行数据的汇总，而 P4MR 能在网络中完成数据汇聚。相较传统方法，P4MR 既能降低通信数据总量，又能减少端侧的负担，提高数据中心的性能。DAIET[49]同样也是一个基于 P4 的聚合方案，它基于具体的路由拓扑生成一个聚合的树形结构，并沿此结构一层一层将数据整合汇集，DAIET 能为 Map reduce 和整体同步并行(Bulk Synchronous Parallel, BSP)提供加速。一致性问题也是数据中心网络关注的一个要点，Paxos 算法是分布式共识最主要的算法之一，而 P4Paxos[50]在可编程交换机转发平面中实现了 Paxos。较之传统的软件实现，P4Paxos 能将吞吐提高四个数量级，极大地降低了在高速率下软件实现带来的开销，同时也有很高的可扩展性，并且由于不依赖额外的网络硬件，只需要对网络做出非常弱的假设。

网络虚拟化通过对底层网络的物理拓扑进行抽象，在逻辑上实现对网络资源的分片或者整合，从而满足各种应用对于网络的不同需求，是目前数据中心特别是云数据中心所要具备的基本功能之一。FlowVisor[51]提出了一种 OpenFlow 分片方案。为了达到同时服务多个虚拟网络的目的，FlowVisor 以代理的形式运行在每个虚拟网络的控制器与交换机之间，通过对二者之间的信息进行截取和重新配置实现网络隔离的目的。FlowVisor 对于每个虚拟网络的使用者来说是透明的，同时也能非常方便地对每个分片进行拓展。

2.2.3　分段路由

分段路由[52]是一种源路由技术。它为每个节点或链路分配段，头节点把这些段组合起来形成段序列(或段路径)，指引数据包按照段序列进行转发，从而实现网络的编程能力。分段路由有以下四个优点：①简化了控制协议。它只采用 IGP 协议，降低了运维的复杂度。②良好的扩展性。分段路由路径编程是在头节点进行，通过有限的表示链路和节点的段组合来表示海量的路径，从而让网络中间节点几乎不感知路径状态，具备很高的扩展性。③可编程性好。分段路由中的段非常类似于计算机的指令，通过对段的组合可以实现类似于计算机指令的功能，从而具备非常好的灵活性。④更可靠的保护。分段路由能提供 100%网络覆盖的快速重路由(Fast Re-Route)，解决了 IP 网络长期面临的技术难题，在可扩展性的前提下，达到完全可靠的保护。

分段路由转发层有两种封装格式，一种是 MPLS 即 SR-MPLS[53]，另一种是 IPv6 即 SRv6[54]。SRv6 对 IPv6 的报文进行了扩展，引入了 SRv6 扩展头，用于 Segment 编程组合形成 SRv6 路径。和 SR-MPLS 相比，SRv6 有如下的优点：①传统的 SR-MPLS 需要三层类型的标签(VPN/BGP/SR)，而 SRv6 只需要一种 IPv6 的头部，从而实现统一的转发。②SRv6 报头的标准性使它更能兼容现网的 IPv6 设备，当中间节点不支持 SRv6 功能，也可以根据 IPv6 路由方式来转发报文。

与传统的 TE Tunnel 技术相比，SRv6 可以满足面向业务体验的端到端需求。数据中心管理员可以通过 "SRv6

网络编程模型"[55]来提供一种端到端的策略链(end-to-end policy chain)。依靠这种策略链,管理员不仅可以检测一条路径的延迟和该路径上所有设备的工作状态,而且能够灵活地执行流量工程(Traffic Engineering, TE)或是快速修复故障。这样的特性使得 SRv6 不仅在数据中心里获得应用,而且随着 IPv6 的普及被广泛地部署在各种局域网、城域网和广域网上。比如 SCMon 工作[56]提供了一种可以持续监测网络数据平面性能的方法。SCMon 允许管理员利用分段路由技术探测网络中每个路由器和链路的健康情况,并能够在发现故障后的短时间内做出反应。文献[57]讨论了分别以吞吐最大化和最大链路负载最小化作为优化目标时,如何使用分段路由来生成对应的路由。

2.3　虚拟化数据中心网络

2.3.1　网络虚拟化

随着数据中心的发展,大二层网络由于具有简单易用的特性而在数据中心网络中得到越来越广泛的应用,但是二层网络缺乏隔离的特性可能会导致不同租户之间的流量相互影响甚至恶意攻击的问题。因此在多用户的数据中心,尤其是支持多租户的云数据中心,出于性能和安全的考虑,不同的租户之间需要进行网络隔离,网络虚拟化技术可以很好地隔离不同租户的网络。

传统的网络虚拟化技术,主要是虚拟局域网(Virtual Local Area Network, VLAN)等流量隔离技术,可以将一个物理局域网在逻辑上划分成多个 VLAN,每个 VLAN 是一个广播域，VLAN 内的主机间通信和在一个 LAN 内一样，VLAN 间则不能直接互通。这样广播报文被限制在一个VLAN内，节省了带宽，提高了网络处理能力，而且确保该 VLAN 的信息不会被其他 VLAN 内的机器窃听，保证了通信的安全性。同时，网络故障也被限制在一个VLAN 内，一个 VLAN 内的故障不会影响其他 VLAN 的正常工作，从而提高了网络的健壮性。网络虚拟化技术在不改变物理组网的情况下，可以灵活进行逻辑网络的变更，提高了网络的灵活性。要使网络设备能够分辨不同VLAN 的报文，需要在报文中添加标识VLAN 的字段，但VLAN 的虚拟网络标识只有 12 比特，因此最多只能支持4096 个虚拟网络，无法支持大规模网络虚拟化的需求。

为了在数据中心里支持数量庞大的虚拟网络，业界制定了虚拟可扩展局域网(Virtual eXtensible LAN, VxLAN)标准。VxLAN 是一种大二层虚拟网络扩展的隧道封装技术，可以基于物理 IP 网络建立虚拟以太网，数据包使用MAC in UDP 的方法进行封装，封装报文头共50 字节。报头中包含 24 位 VxLAN 网络标识符(VxLAN Network Identifier, VNI)，可以支持用户创建超过 1600 万个相互隔离的虚拟网络，有效解决了云数据中心逻辑网段不足的问题，可以支持超大规模的云计算环境，满足多租户环境和规模扩展的需求，同时还解决了上联交换机 MAC 地址溢出等问题[58]。

使用通用路由封装的网络虚拟化(Network Virtualization using Generic Routing Encapsulation, NVGRE)是另外一种用于保证多租户数据中心网络服务质量和安全性的网络虚拟化技术[59]。与 VxLAN 不同的是，NVGRE 没有采用标准传输协议(TCP/UDP)，而是采用通用路由封装协议(Generic Routing Encapsulation, GRE)。NVGRE 借助 GRE 头部的低 24 位作为租户网络标识符(Tenant Network Identifier, TNI)，与 VxLAN 一样可以支持 1600 万个虚拟网络。但是由于采用 GRE 封装，NVGRE 不能兼容传统的负载均衡方案。为了提高负载均衡能力，需要每个支持 NVGRE 的主机绑定多个 IP 地址，从而支持负载均衡更多流量。

2.3.2　虚拟网络映射

　　不同租户需要的虚拟网络拓扑、节点个数、节点容量和处理逻辑各不相同，虚拟网络映射(Virtual Network Embedding, VNE)[60]可以将异构的虚拟网络映射到底层物理网络并保证不同虚拟网络之间状态以及上下文信息隔离安全，确保虚拟网络服务的正确性。虚拟网络映射需要处理节点和链路的虚拟资源分配，即需要解决两个子问题：虚拟节点映射(将虚拟节点映射到满足资源需求的物理节点，虚拟节点一般指虚拟交换机，物理节点一般指物理交换机)和虚拟链路映射(将虚拟节点间的虚拟链路映射到底层网络对应节点之间的路径)。

　　对于虚拟节点映射，灵活的网络虚拟化技术需要解决"一虚多"和"多虚一"的问题。当租户申请的虚拟交换机数量多于网络可用的物理交换机数量时，采用网络虚拟化技术可以实现"一虚多"，即将多个虚拟交换机映射到同一台物理交换机中，实现资源的高效利用。当租户申请的一个虚拟交换机所需资源超出单个物理交换机可用资源时，网络虚拟化技术可以实现"多虚一"，把同一个虚拟交换机映射到多个物理交换机上，同时采用自定义包头格式的方式保存交换机流水线之间的上下文信息(如 SVirt 方案[61])，保证转发逻辑的正确性。此外，为了便于网络管理，也可以在不改变传统设计的网络物理拓扑、布线方式的前提下，以网络虚拟化技术实现各层网络的横向整合，即将交换网络每一层的多台物理设备采用横向"多虚一"技术形成一个统一的交换架构，以减少逻辑设备数量。数据中心采用网络虚拟化横向组网后，所有虚拟化物理单元可以统一管理配置，更加灵活高效。

对于虚拟链路映射，在满足带宽、延迟等需求的前提下，将虚拟链路映射到物理节点间一条或多条链路上，根据映射到物理链路条数分为单路径映射和多路径映射。单路径映射可以将一条虚拟链路映射到一条底层物理网络路径上，优点是可以较好地保持虚拟网络的拓扑特性，管理和维护简单，但是当物理链路资源受限时，无法进行单路径映射。多路径映射指一条虚拟链路被分割映射到多条物理链路上，可以支持对高带宽需求的虚拟链路映射，但是维护开销较大。

在物理网络和虚拟网络之间进行映射，不仅需要找到可行的映射方案，而且为了提高资源利用率和虚拟网络性能，需要选择更高效的映射方案。映射方案求解算法可以分为两类：两阶段映射算法和协同映射算法。两阶段映射算法按照虚拟节点和虚拟链路分阶段进行映射建模，优点是简化建模复杂度，易于求解，但是当两阶段建模的求解目标发生冲突时，不利于整体求解结果的优化。协同映射将虚拟节点和虚拟链路同时建模求解，同时分配链路和节点资源，虽然建模复杂，但是可以达到整体最优。本质上两阶段映射算法和协同映射算法都是优化问题，目前主要的优化问题求解策略分为三类：精确解算法、启发式算法和元启发式算法。

精确解算法是虚拟网络映射问题中的最优化解法，其采用的数学模型一般为整数线性规划(Integer Linear Programming, ILP) 和混合整数规划(Mixed Integer Programming, MIP)，求解办法主要有分支定界、分支裁剪和分支定价等[62]。最优映射方案的计算复杂度随着底层网络的规模扩大呈指数型增长，多数为 NP Hard 问题，故不适合较大网络规模的映射，但是可以用于中小规模场景下的虚拟网络映射。

相比之下，启发式算法的计算复杂度比精确解算法更低，尤其是在大规模虚拟网络映射的场景中，启发式算法可以在有效的时间内找到近似最优解，即在映射方案的最优性和计算复杂度之间寻求一种平衡。各类启发式算法的主要思路为在节点映射和链路映射阶段加入特定的限制条件，以大幅缩小搜索空间，并简化计算复杂度。在 Minlan Yu 的工作[63]中，首先对虚拟网络节点按照节点可用资源、链路带宽、节点位置进行重要性排序，在资源有限的前提下，首先处理更重要的虚拟网络映射请求。但启发式算法的主要缺点是会过早地陷入局部最优解而无法得到全局最优的解决方案，这将会降低底层物理网络的全局资源利用率。

　　元启发式算法与前两类方法有所不同，可以看作一个组合优化问题。通过在一个更大的离散解空间中寻找最优解，元启发式算法不仅避免了启发式算法会陷入局部最优解的缺陷，而且解决了精确解算法的计算复杂度高的问题。因此即便在大规模虚拟网络场景中，仍能在可接受的合理时间范围内找到近似最优解。代表性元启发式算法包括遗传算法、蚁群算法、人工鱼群算法、粒子群算法、模拟退火算法、禁忌搜索算法等。其主要思想为利用给定的衡量标准逐步改进候选解，最终得到虚拟网络映射的近似最优解。在蚁群算法中，用蚂蚁的行走路径表示待优化问题的可行解，整个蚁群的所有路径构成待优化问题的解空间，蚂蚁释放的信息素数量与路径的带宽成正比，即带宽越高的路径释放的信息素越多。随着时间的推移，高带宽路径上的信息素浓度不断提高，越来越多的蚂蚁选择该路径，从而形成正反馈，使整个蚁群最终聚集到最佳路径上，该路径对应的就是待优化问题的最优解[64]。与此类似，在粒子群算法中，每一个粒子的位置对应一个可能的虚拟网络映射方案，系统初始化为一组随机解，借助群体中的个体对于信息的共享，整个群体的运动从无序逐步演化到有序，从而在求解空间中不断迭代，直至收敛到近似最优解。

2.3.3　虚拟网络带宽保障

　　数据中心中不同的虚拟网络之间可能存在相互抢占带宽的情况，造成性能干扰。因此，除了流量隔离，数据中心网络还将网络虚拟化技术往前推进了一步，即为虚拟网络提供带宽保障，为用户提供可预测的网络性能，在虚拟网络之间进行性能隔离。

为了进行带宽保障，首先需要构建带宽流量模型来对虚拟网络的带宽需求进行抽象，常见的带宽流量模型包括流量矩阵模型(Pipe Model)[65]、软管模型(Hose Model)[66]和租户应用图模型(Tenant Application Graph，TAG)[67]。流量矩阵模型配置每一对虚拟机之间的带宽需求，要求租户对于应用资源需求做出严格的估计和预测，但是在实际操作中由于虚拟之间通信的复杂性和动态性，用户很难对每一对虚拟机之间的流量进行准确配置，导致该模型在实际应用中性能较差。另外，流量矩阵模型限定点对点的固定带宽租用模式，带宽资源复用率低，会造成一定程度的资源浪费。软管模型只需要配置每个虚拟机的进出总带宽，不必维护和管理复杂的网络流量矩阵，适用于虚拟机之间流量动态变化的场景，并且支持网络链路资源复用，提高网络利用率，具有简单易用、灵活性高的特点[68]。租户应用图模型不仅能表示租户带宽需求，还能表示租户应用通信模式。由于大多数云数据中心应用的软件架构都是分层的，不同层级组件之间通信的带宽需求各异，租户可以结合应用软件架构和不同应用组件之间的通信特征，描述其对网络资源的需求[69]。

在虚拟网络中实现带宽保障，需要在物理网络上根据用户配置的流量模型为虚拟网络分配带宽，通过在服务器或交换机上配置限速器(Rate Limiter)来确保每个虚拟机或者用户对带宽的占用不会超过分配的限额。得到带宽保障的虚拟网络，其使用体验与自建物理网络一致。数据中心网络管理者也可以通过灵活的带宽分配算法，在给定物理网络拓扑的前提下，支持尽可能多的虚拟网络数量。

网络带宽保障不仅需要限制每个虚拟网络的带宽使用情况，同时为了提升数据中心网络的总体网络资源利用率，也要使虚拟网络之间的带宽进行充分共享。在不影响每个虚拟网络的流量性能的前提下，通过设置灵活的带宽调节算法，在某个虚拟网络的流量较低时，其带宽资源可以被充分共享。

2.4　智能化数据中心网络

从整个网络技术的发展趋势来看，数据平面正向着"极简化"发展，包括"尽力而为"的 IP 转发、软件定义网络统一数据平面等。控制平面是提高网络端到端性能、保障网络健壮性的重要部分，传统上主要通过"确定性建模"的方式生成数据平面的转发规则来实现。由于数据中心网络规模巨大、流量突发性强、节点/链路容易发生故障，因此确定性建模的方法往往难以在端到端的吞吐率和延迟方面达到理想的效果，而智能化的数据中心网络有望解决网络规模扩大所带来的一系列困难。

智能化数据中心网络利用人工智能技术，基于历史统计数据，通过非确定性的方法对网络进行建模，从而能够更加有效地控制网络，为用户带来更好的网络使用体验。智能技术对数据中心网络的路由选择算法(例如如何把流量分割到不同的路径上)、拥塞控制算法(例如如何调整 TCP 的拥塞控制窗口)、故障预测和恢复(AIOps)等方面都能带来较大的帮助，从而实现"自动驾驶网络(Self-driven Network)"。

2.4.1 智能路由协议

在传统的计算机网络体系架构中，数据平面通常较为简单，例如网络层一般采用"尽力而为"的分组转发方式。为了保证网络端到端传输性能和提升网络系统的健壮性，路由算法通常需要满足以下目标：路径最优、简洁高效、稳定健壮、快速收敛。传统的路由算法(如距离矢量算法和链路状态算法)的本质均为单源最短路径算法，难以感知网络流量的变化并以此为基础进行动态路由调度。此外，由于数据中心网络具有规模巨大、链路带宽高、存在冗余路径、流量突发性强、节点/链路故障率高等特点，使用传统的路由算法存在一定的局限。假设网络流负载需求 500Mbps 的带宽，传统路由算法仅选择一条最短路径，该路径可用带宽(100Mbps)无法满足服务需求带宽。这不但会导致瓶颈链路上的网络拥塞问题，而且会造成其他链路网络资源的浪费[70]。

为了满足复杂的网络应用场景，很多通过"确定性建模"的方式优化路由的方案[71,72]被提出。这些方案以数学模型为基础，通过一些假设来对真实网络应用场景进行简化，然后使用现有的数学算法对简化后的网络模型进行优化求解。这些"确定性建模"方案存在两点不足：首先，一些真实的网络应用场景不满足假设条件导致无法进行简化，或者简化后的网络模型与真实网络应用场景相去甚远，从而无法保证该网络模型在真实网络场景下的实际部署效果；其次，一些网络应用场景简化后，其求解过程仍十分复杂、耗时较长，在真实网络系统中部署后无法满足实时性需求。因此，传统的基于"确定性建模"方式的路由选择算法目前仍难以在实际网络系统中进行大规模部署。

近年来，基于机器学习的人工智能技术飞速发展，机器学习模型表达能力的提升和计算设备算力的提高使得利用人工智能技术解决路由选择问题成为可能。相比于传统路由算法，基于数据驱动与机器学习的智能路由选择算法具有以下优点：训练数据能够真实全面地反映复杂的网络应用场景；模型的快速推理能够及时响应流量变化。

如何从历史数据挖掘规律从而优化路由性能，是实现智能路由算法的关键。希伯来大学的 Asaf Valadarsky 等人讨论了如何利用监督学习方法基于历史流量需求矩阵来预测接下来的流量需求矩阵，并在预测出的流量需求矩阵上利用线性规划求解得到最优路由策略[73]。Q-routing 路由算法[74]利用 Q-learning 算法，以最小化端到端时延为目标，自动学习到最优下一跳；在路由设备中，该方法使用在线策略的方式，利用实时的网络延迟信息学习并更新 Q 表，从而选择具有最大效益的下一跳出口转发数据包。Delay-Optimal TE[75]在此基础上，提出了一种基于多智能体强化学习的智能路由方法，以提升模型的收敛速度。DRLTE[76]考虑如何利用强化学习来优化流量分割，其考虑在给定候选路径(通过最短路径算法得到)的情况下，利用强化学习方法，根据网络的利用率和延迟信息，学习出这些路径上的最优流量分割策略，并在此基础上选择路径转发数据包，从而提升网络效率。

　　这些基于机器学习的智能路由相关工作主要是针对路由算法的原理来设计的，关于如何在真实环境中训练、部署这些智能路由算法，还尚未形成一套成熟的方案。目前，智能路由算法模型的训练方式主要分为在线训练和离线训练两种。一般来说，基于监督学习的智能路由算法需要采用离线训练的方式，而基于强化学习的智能路由模型则可以采用在仿真环境中离线训练或者在真实环境中在线训练两种方式。

　　智能路由算法的部署方式主要分为集中式和分布式两种。集中式方案需要部署一个集中式的路由控制器，并在路由控制器上运行智能路由算法，然后将路由决策下发至路由节点中。分布式方案部署使用分布式路由协议，相比集中式方案具有更好的可扩展性。

　　智能路由算法同样面临着挑战：如何全方位、轻量级、高精度地采集网络状态信息；如何确保智能路由算法的可扩展性和路由策略的一致性；如何降低智能路由模型训练成本；如何处理训练时未出现过的网络突发状况；如何设计与智能路由方案相匹配的可编程智能路由设备等等。

2.4.2　智能拥塞控制

　　传输控制协议TCP的传输性能在端到端的网络传输服务质量(高吞吐量，低延迟)中起到至关重要的作用，TCP的拥塞控制问题也被广泛研究和讨论，从而支持TCP在日益复杂的网络应用场景下实现高质量的网络传输服务。网络的拥塞原因可分为两种：

(1) 在端系统上，网络数据包的到达速度超过了位于接收端的缓存能力，导致的数据包排队甚至溢出，产生拥塞现象。

(2) 在网络中，如交换机等网络设备的存储转发能力不及数据包的到达速度，从而引起了排队甚至丢包，也产生了拥塞现象。

针对发生在端系统上的拥塞，可以通过协调接收窗口大小来解决；而网络中的拥塞更为复杂，因而通常讨论的拥塞控制问题主要是针对后者的。大量经典的拥塞控制方法针对该问题提出，如 Tahoe，Vegas，New Reno，CUBIC，BBR 等。概括来看，拥塞控制算法包含了慢启动、拥塞避免、快重传等机制。

网络拥塞控制的一个重点问题是讨论丢包与拥塞之间的关系，并根据感知到的拥塞来采取缓解拥塞的调控。总体来看，TCP 的拥塞控制历经多次改进，每一次都经过研究者的精心设计和大量实验验证，且方法的设计基于对来自网络的特定反馈信号的预定义动作的硬编码。然而，随着网络变得更加复杂和动态化，设计最佳的网络状态与拥塞控制策略之间的映射变得更加困难。基于强化学习的 TCP 拥塞控制方法凭借其强大的学习能力来设计与网络交互的行为，可以很好地解决上述痛点，因而引起了很多关注。

1995 年，Tarraf 等人提出将当前网络的一些特征，如信元丢失率(Cell Loss Rate, CLR)，当作输入，将发送窗口速率当作输出结果，结合神经网络和 Q-learning 的方法来解决 ATM 网络中的拥塞控制问题[77]，但是由于没有解决 Q-learning 算法的缺陷，只在小规模拓扑上进行了模拟实验，在大规模、高维度的真实网络世界中还是无法胜任真正的拥塞控制的任务。

21 世纪初，以 OpenAI、DeepMind 等机构为首，开创了 DQN、TRPO、PPO、DDPG 等新算法，使得强化学习算法在高维空间也能得到灵活运用，这一交叉领域又得到发展。强化学习算法可以分为基于价值函数和基于策略梯度两种，前者的代表性算法是 SARSA 和 Q-learning。Reinforcement Learning-TCP(RL-TCP)[78]基于 SARSA 算法实现拥塞状态下的拥塞窗口调控，QTCP-Generalization[79]则是在 Q-learning 算法基础上，使用 Kanerva 编码逼近函数，并在其基础上进行了改进推广，降低了值函数的计算复杂度和状态空间的可搜索大小，同时也大大加快 QTCP-Generalization 的收敛速度，提供稳定的性能。

基于价值函数的强化学习算法是对价值函数进行改进从而得到策略，而基于策略梯度的强化学习算法则是直接对策略进行迭代改进。TCP-RL[80]方法基于 Pantheon 平台，采用了基于策略梯度的 A3C 算法解决 TCP 长流的网络拥塞窗口决策问题。智能体在流刚开始时随机采取一个拥塞控制方法，在几秒钟之后，智能体将从网络环境接收状态，其被用作决策网络(actor-net)的输入，该网络的输出作为下一步使用的拥塞控制方法。以这样的方式，智能体不断地更新其决定以找到用于当前流传输的拥塞控制方法。

虽然网络拥塞控制领域的研究者们已经开始尝试采用

一些强化学习算法来解决相关问题，但是如何结合强化学习算法和网络拥塞控制背景、采取何种算法，目前仍处于尝试和探索阶段。

2.4.3　智能运维管理

随着数据中心规模的不断扩大，数据中心内的网络设备也在不断激增。面对如此大规模的网络设备，有限的运维人员很难及时发现网络故障并进行故障恢复工作；同时网络的复杂性也在不断增加，对网络运维人员的技能要求也越来越高，导致网络可用性难以保障。另外，尽管目前网络监控在广度和深度上存在不足，但却有大量的普通告警信息，导致关键告警被淹没，无法被及时发现。网络运维不但需要保障网络系统的可用性，并且还要有效提升运维效率，为用户提供低成本、高质量的网络服务。可以说，网络运维已经成为数据中心网络的必然趋势，未来的发展方向在于自动化、智能化和无人值守。

智能运维是指通过机器学习等人工智能算法，自动地从海量运维数据中学习并总结规则，并做出决策的运维方式。智能运维能快速分析处理海量数据，并得出有效的运维决策，执行自动化脚本以实现对系统的整体运维，能有效运维大规模系统。智能运维现已在业界得到了广泛应用。阿里巴巴的智能故障管理平台通过时间序列分析和机器学习，自动拆解业务异常事件的相关维度，逐层剥离定位故障原因。百度实现了基于智能流量调度的单机房故障自愈能力，将止损过程划分为统一的感知、决策、执行三个阶段，通过策略框架支持智能化异常检测、策略编排、流量调度，从而实现自愈。京东金融实现了基于网络拓扑的根源告警分析，结合调用链，通过时间相关性、权重、关联规则算法、神经网络算法等[81]，将告警分类筛选，快速找到告警根源，从而缩短故障排查及恢复时间。

　　在智能运维的落地过程中也存在一些挑战[82]：异常种类和监控指标很多，设置静态阈值容易导致大量的漏报误报；虽然基于监督学习的算法表现出不错的效果，但实际情况下很难获得大量的训练数据等。

第3章 国外数据中心网络发展态势

3.1 代表性公司

数据中心网络服务商方面，微软(Microsoft)、谷歌(Google)、亚马逊(Amazon)等公司是全球数据中心网络运行和服务方面的领先者。近年来，随着数据中心相关技术的进步，涌现了一批先进的云计算系统，如谷歌公司的 Google Cloud[83]、微软公司的 Azure 公有云系统[84]，亚马逊公司的 Amazon Web Services[85]等。

数据中心网络设备商方面，Cisco、Barefoot(现已被 Intel 公司收购)等公司处于国际领先地位。由于数据中心网络链路密集、带宽需求高，数据中心网络交换机的技术指标是业界所有交换机中最领先的。目前业界使用的交换机单端口以太网速度已经达到 100Gbps/200Gbps，并且实验室技术在向 400Gbps 甚至 800Gbps 发展。Barefoot 公司是可编程交换机技术(P4)的领导者。

3.2 标准化工作

数据中心网络网络层的技术标准，主要在互联网工程任务组(IETF)制定。由于数据中心网络具备与其他网络完全不同的特点，因此在 IETF 路由域(Routing Area)，专门为数据中心网络常用的 Fat-Tree 拓扑中的路由方法创新，组建了 RIFT(Routing in Fat Tree)工作组。

数据中心网络链路层的技术标准，主要在 IEEE(电气与电子工程师协会)制定。对"无丢包"链路层的需求，IEEE 组建了 802.1 Data Center Bridge(数据中心网桥)任务组，提出了 Priority-based Flow Control (PFC)、Enhanced Transmission Selection (ETS)、Data Center Bridging Exchange (DCBX) Protocol 等新技术。

3.3 学术界工作

在高校方面，美国卡内基·梅隆大学、美国麻省理工学院、美国斯坦福大学、美国加州大学伯克利分校、美国加州大学圣地亚哥分校、英国帝国理工大学等高校，是数据中心网络领域学术研究的领先者。微软公司、谷歌公司、Meta(原 Facebook)公司等科技公司也在学术研究方面有较多贡献。

第4章 我国数据中心网络发展态势

由于数据中心网络的技术创新性强，从 2008 年开始，数据中心网络一直是 ACM SIGCOMM、USENIX NSDI 等网络领域顶级学术会议上最受关注的研究热点。近年来，SIGCOMM 和 NSDI 会议每年收录的学术论文中，将近三分之一是数据中心网络方面的论文，并且我国研究机构在数据中心网络方面的研究成果也在不断增加。

4.1 代表性公司

阿里巴巴数据中心现在已经发展成为单集群 5~10 万台服务器规模、总带宽达到 PB 级别的超大规模云计算数据中心网络。阿里巴巴首先大规模部署了 25G 数据中心网络，在 2018 年升级到 100G。目前阿里巴巴正在测试 400G 网络，并推出了 400G QSFP-DD 行业标准。阿里巴巴现在也在积极部署支持可编程交换机的数据中心网络，并基于带内遥测技术提出了 NetSeer[39]和 HPCC[40]、μFAB[99]等技术并在实际生产环境中部署。

腾讯公司在 2020 年发布了 TPC-4 数据中心开放光网络传输平台，实现了高性能的 200G 和 400G 可插拔方案。腾讯公司还提出利用深度强化学习优化数据中心网络流量的调度[98]，并提出了织云智能一体化运维平台。

华为提出了超融合数据中心网络架构 CloudFarbic，并得到广泛的部署。其提供的数据中心交换机 CloudEngine 及其所支持的智能无损交换算法 iLossless 实现了 400G 数据高速交换，同时提供了网络智能管控系统 iMasterNCE 来实现智能部署和智能运维，解决了大规模网络场景下的运维问题。

此外，百度、美团、京东和字节跳动等公司都在积极推动数据中心网络智能运维，如美团的时序异常检测系统 Horae、京东数科团队的 AIops 平台等，大幅度提升了故障检测的效率。

4.2　学术界工作

清华大学是全球范围内较早开展数据中心网络研究的单位之一。在数据中心网络拓扑设计、数据中心网络组播路由、无线数据中心网络、无损数据中心网络、智能化数据中心网络、数据中心网络故障检测、可预期数据中心网络等方向，取得了一系列研究成果，在 SIGCOMM、NSDI、CoNEXT 等顶级会议上发表了 10 余篇高水平论文。

华中科技大学在数据中心网络节能方面，研究成果突出，在 ISCA 等顶级会议上发表了多篇论文。

西安交通大学在可编程数据中心网络方面，取得了优秀的研究成果，近年来连续在 SIGCOMM、NSDI、CoNEXT 等顶级会议上发表相关论文。

4.3 发展热点

4.3.1 超大规模与超低延迟的数据中心网络

数据中心网络"以太化"是当前国内广受关注的技术热点。在 2021 数据中心高质量发展大会上，中国信通院联合百度、华为、京东、腾讯、电信、移动等多家互联网企业和电信服务商共同提交了《超融合数据中心网络白皮书》，其中提出我国数据中心网络逐步"以太化"的发展趋势。为了更好地服务云计算业务，提供更高性能的计算、存储功能，以 NVMe over RoCE、CPU/GPU 去 PCIe 化为代表的先进技术逐步被应用于数据中心。

RDMA 逐渐成为数据中心网络的主流传输协议。RoCE 是 RDMA 技术在以太网上一种实现方法。作为一种成熟、普遍的局域网技术，以太网很容易在数据中心网络中实现。在无需更改数据中心网络基础架构的同时，在数据中心中运行 RoCE，可以减轻数据移动的负担，并为应用程序提供更高的 CPU 资源可用性。通过减少以太网延迟和 CPU 开销，RoCE 可以提高搜索、存储、数据库和高事务处理率应用程序的性能。通过提高 CPU 效率和应用程序性能，RoCE 可以减少所需的服务器数量，从而节省能源，并减少基于以太网的数据中心的占用空间。

4.3.2 绿色节能的数据中心网络

目前行业数据显示中国的数据中心的平均 PUE(Power Usage Effectiveness)值在 2.2～3.0 之间，而实际数据可能远远高于这一数字。而且随着数据中心的规模越来越大、数量越来越多，耗电量出现激增。数据中心的高能耗，不仅给企业带来了沉重的负担，也造成了全社会能源的巨大浪费。2019 年 2 月 14 日，工业和信息化部联合国家机关事务管理局和国家能源局联合发布了《关于加强绿色数据中心建设的指导意见》(工信部联节[2019]24 号)。该指导意见提到：到 2022 年，数据中心平均能耗基本达到国际先进水平，新建大型、超大型数据中心的电能使用效率值达到 1.4 以下，高能耗老旧设备基本淘汰。

　　网络节能是数据中心整体节能不可或缺的一环，对于配合其他环节一同节约能耗意义重大。围绕数据中心网络节能的研究工作早已开展。2014 年立项的国家重点基础研究发展计划"软件定义的云数据中心网络基础理论与关键技术"项目就已经将云数据中心网络高能耗协同控制作为重点研究方向，产出了一批技术成果。该项目通过研究发现，云数据中心网络受网络用户的活动行为影响，随时间变化呈现明显的流量波动，因此可以通过软件控制方式对云数据中心网络进行能耗感知和节能流量工程，从而使更多的网络节点处于空闲状态并进而休眠，以达到节能减排的目标。为了实现多维度的协同能耗控制，项目提出动态实时地感知云数据中心网络的能耗状态、设计能耗优化的流量工程技术、并尽可能地使用清洁能源。

4.3.3　安全可靠的数据中心网络

　　数据中心网络所面临的安全隐患层出不穷，如果仅仅在遇到问题时采取"打补丁"的方法来处理，那么就会陷入到越补漏洞越多的地步。只有从网络体系结构的角度出发，在网络系统设计之初就将安全问题纳入考量，才能够从根本上提供安全保障。目前围绕数据中心网络体系结构安全研究的技术热点有源地址验证机制和资源公共密钥基础架构(Resource Public Key Infrastructure, RPKI)等。

　　源地址验证机制研究是针对当前互联网体系结构在设计之初未曾考虑对 IP 数据包的源地址进行真实性验证，从而导致的一系列安全问题。网络主机使用假冒的 IP 源地址发起网络攻击或进行不正当网络活动的行为被称为源IP 地址伪造。利用源地址伪造的手段，网络攻击的发起者可以隐匿自己的身份和位置，逃避法律的制裁。使用伪造的源地址的网络攻击行为难以被追溯，这是当前伪造源地址行为泛滥的原因。借助伪造源地址发起的分布式拒绝服务攻击是当前互联网公认的最大的安全威胁之一。随着源地址伪造手段的大量使用，基于真实地址的网络计费、管理、监控和安全认证等都无法正常进行，对互联网基础设施和上层应用都造成了严重的危害。随着互联网地下经济的发展，基于源地址伪造的网络攻击愈发猖獗，甚至危害到社会和国家的安全。据互联网观测组织应用互联网数据分析中心(Center for Applied Internet Data Analysis, CAIDA)的统计，每周借助伪造源地址发起的分布式拒绝服务攻击至少有 4000 起，中国已成为全世界第二大的假冒源地址流量的来源。这些攻击带来了巨大的经济损失，也给国家互联网的安全造成了严重的威胁。加强网络设备对源地址的验证、过滤掉源地址伪造的 IP 报文，对于互联网的安全和扩展，乃至经济、社会的健康发展都具有重要的意义。

BGP 是自治系统间进行通信的默认协议,其在域间路由中扮演着非常重要的角色。但由于 BGP 在设计之初并未考虑安全因素,缺乏对 BGP 宣告内容真实性验证机制,使得其很容易受网络管理员错误参数配置或恶意攻击行为的影响。目前,BGP 主要面临三大攻击面:前缀劫持、路径篡改、路由泄露,其中最为严重的是前缀劫持。恶意 AS 通过对外宣告不属于自身的 IP 前缀来吸引到达此 IP 地址块的流量,从而进行中间人拦截或制造流量黑洞。据互联网安全监控权威机构 BGPmon 统计,BGP 前缀劫持事件每天都在发生,规模大、持续事件长的劫持事件更是严重影响网络用户体验,同时也给互联网运营商带来了不可挽回的经济损失。此外,带有政治因素的劫持事件甚至损害国家的利益,给国家以及社会带来了不可估量的安全风险。针对域间路由前缀劫持的防御措施层出不穷,目前真正得以部署的是 IETF 自 2012 年起标准化的 RPKI。RPKI 为 互 联 网 数 字 资 源 (IP 地 址 和 自 治 系 统 号 (Autonomous System Number, ASN)) 和资源持有者的绑定关系提供了一套完整的层级化加密认证服务,AS 通过带外的方式获取并验证证书,生成合法的前缀-源匹配条目指导边界路由器进行路由源验证。基于 RPKI 的扩展协议 BGPsec 在防御前缀劫持的基础上增加了路径验证的功能,进一步提升了 BGP 的安全性。截至 2021 年 6 月,已有 25000 个 AS 部署了 RPKI,覆盖 IPv4 前缀数量已达 200000 个,同时已有近 50 个大型 ISP/AS 公开宣布采用 RPKI 的数据进行路由源验证(Route Origin Validation,

ROV)。RPKI 俨然已成为重要的互联网基础设施，为域间路由的安全性提供坚实的保障，但是其自身的中心化架构等特性也带来了新的安全风险。目前解决 RPKI 自身的安全风险，让互联网管理员深入了解 RPKI 技术，让 AS 真正使用 RPKI 的数据进行 ROV 对互联网的安全平稳运行有着重要的意义。

4.4　发　展　难　点

网络芯片与系统是数据中心网络的核心基石。虽然我国的华为、新华三、中兴等数据中心网络设备和解决方案提供商经过多年的发展已经具备和国际巨头竞争的能力，但这些企业的核心芯片严重依赖于国外进口，核心技术仍受制于人。在外部力量对我国的技术封锁手段逐渐升级的背景之下，解决数据中心网络发展面临的"卡脖子"问题成为当务之急，增强自主创新能力已经成为业界的共识。此外，我国虽然在数据中心建设数量方面增速很快，同时在一些技术领域取得了显著的进展，但是如何由点及面、从局部领先到引领行业进步仍有较大的进步空间。

人才是数据中心网络发展的基础。随着上层应用的发展，数据中心网络也需要不断地变化以更好地承载应用业务。因此，对于数据中心网络设计、运维和管理人才的技术水平要求较高。目前，数据中心网络高端技术研发和运维、管理人才十分紧缺。2021 年 7 月，工信部印发《新型数据中心发展三年行动计划(2021—2023 年)》，明确提出要加快数据中心人才培养，完善多层次人才培养体系，加强数据中心设计、运维、管理人才队伍建设，保障数据中心人才供给。

第5章　数据中心网络未来发展展望

5.1　高性能无损网络

随着人工智能和分布式存储等高性能应用的发展，网络性能已经成为制约分布式系统性能发展的瓶颈。为了提高数据中心网络的端到端传输性能，数据中心内的互联带宽正从 100G 向着 400G 甚至 800G 发展。同时，这些高性能应用也对端到端的传输时延提出了更高的要求，借助 RDMA 技术的内核旁路和内存零拷贝的优势，数据中心网络时延正向亚微秒级发展。然而，不同于低速网络，高速网络对于拥塞和丢包非常敏感。一旦发生丢包，传输性能会受到极大的影响。

为了实现无损以太网，RoCE 技术需要采用基于优先级的流量控制(Priority based Flow Control，PFC)来逐跳地控制传输流量。目前，虽然 RoCE 技术已经在微软、亚马逊、阿里巴巴、百度等国内外互联网公司中获得了商用，但仍鲜有在数据中心全网范围大规模部署 RoCE 的实践。例如，阿里云自研的分布式存储系统盘古仅在每个 Pod 内部和存储节点之间启用 RoCE 通信，而计算节点和存储节点之间的通信仍使用 TCP。造成这一现象的主要原因在于 PFC 的逐跳传播机制会导致 PFC 暂停帧通过交换机的层层转发而传播到整个网络中，即全网 PFC 暂停帧风暴。此外，PFC 的 ON/OFF 模式还会造成循环缓冲区依赖，导致传输过程陷入死锁。目前学术界提出了多种方案(如 DCQCN 拥塞控制算法、GFC 流控机制等)来减少 RoCE 协议对于 PFC 的依赖或优化 PFC 的工作机制。未来，应用规模的不断扩大将会对高性能无损网络提出更高的要求，高性能无损网络也必将迎来新的发展。

5.2　超融合网络

虽然以太网和 TCP/IP 协议栈已经成为通用计算业务的事实网络标准，但数据中心的高性能计算业务和存储业务对于底层网络有不同的要求。为此，目前数据中心一般会为通用计算业务、高性能计算业务、存储业务分别部署一张单独的网络：通用计算业务通常使用以太网来承载，以满足低成本、易扩展的要求；高性能计算业务通常使用 InfiniBand 网络来承载，以满足其低时延的通信需求；存储业务通常使用光纤通道网络(Fiber Channel，FC)来承载，以保证无丢包传输。将数据中心内的三张网络融合，成为提升数据中心算力的必然要求。然而，这三张网络协议各异、架构割裂，无法互联互通，导致数据中心云化的发展诉求难以被满足。

随着以太网逐渐成为云化分布式场景中的事实网络标准，以太网成为实现超融合数据中心网络的关键。通过将通用计算业务、高性能计算业务、存储流量业务承载在统一的以太网技术栈上，实现大规模组网协议统一，能够大幅降低数据中心组网成本。超融合网络还能够简化数据中心网络的运维。数据中心网络的运维工具种类繁多。一方面，单个工具无法覆盖端到端的整个生命周期；另一方面，不同运维工具之间彼此独立，运维数据和结果难以高效共享，导致无法及时分析出端到端的故障根因。超融合网络基于统一的遥感数据实现管理融合，并结合人工智能技术可以实现从规划、建设、维护全生命周期管理，显著提升部署运维效率。

5.3　意图定义网络

软件定义网络作为一种从逻辑上分离网络硬件和软件的方式，提供了网络可编程性，实现了更加自动化的配置，同时降低了成本。经过十余年的发展，软件定义网络技术已经相对成熟，并被一些超大规模云服务提供商部署到其网络中。软件定义网络技术虽然能够赋予数据中心网络灵活性和敏捷性，但在智能化运营还存在明显的差距。据 Gartner 数据显示，75%的组织仍然通过手动操作命令行来配置网络。

意图定义网络通过抽象网络底层的复杂性，将用户的商业意图自动地转化为精准的网络语言和行为，并对网络基础设施进行配置。为了保证网络配置的结果与商业意图之间的一致性，意图定义网络还支持持续性的网络仿真验证。意图定义网络已经成为驱动数据中心网络迈向智能化的关键动力之一。意图定义网络的发展离不开物理网络的数字化。借助网络遥感技术，意图定义网络可以实现对网络的深度可视能力。基于全面的网络状态感知和人工智能技术构建网络验证模型，从而实现网络状态的精确诊断和动态优化，形成闭环的智能网络系统。随着数据中心网络规模的不断扩大和应用对于网络需求的不断更新，意图定义网络将极大地简化数据中心网络的运维和管理，同时降低人为错误的可能性。

作者：李丹　王松涛　王帅　程阳　刘天峰
　　　　李峻峰　王砚舒　苏莹莹

参 考 文 献

[1] Al-Fares M, Loukissas A, Vahdat A. A scalable, commodity data center network architecture[J]. ACM SIGCOMM Computer Communication Review, 2008, 38(4): 63-74.

[2] Guo C, Wu H, Tan K, et al. Dcell: A scalable and fault-tolerant network structure for data centers[C]//Proceedings of the ACM SIGCOMM 2008 Conference on Data Communication. Seattle, WA, United states. ACM, 2008: 75-86.

[3] Kliegl M, Lee J, Li J, et al. The generalized DCell network structures and their graph properties[R]. Microsoft Research Technical Report, MSR-TR-2009-140, 2009.

[4] Kliegl M, Lee J, Li J, et al. Generalized DCell structure for load-balanced data center networks[C]//2010 INFOCOM IEEE Conference on Computer Communications Workshops. San Diego, CA, United States. IEEE, 2010: 1-5.

[5] Guo C, Lu G, Li D, et al. BCube: A high performance, server-centric network architecture for modular data centers[C]//Proceedings of the ACM SIGCOMM 2009 Conference on Data Communication. Barcelona, Spain. ACM, 2009: 63-74.

[6] Wu H, Lu G, Li D, et al. MDCube: A high performance network structure for modular data center interconnection[C]//Proceedings of the 5th International Conference on Emerging Networking Experiments and Technologies. Rome, Italy. ACM, 2009: 25-36.

[7] Li D, Guo C, Wu H, et al. FiConn: Using backup port for server interconnection in data centers[C]//IEEE INFOCOM 2009. Rio de Janeiro, Brazil. IEEE, 2009: 2276-2285.

[8] Li D, Guo C, Wu H, et al. Scalable and cost-effective interconnection of data-center servers using dual server ports[J]. IEEE/ACM Transactions on Networking, 2010, 19(1): 102-114.

[9] Guo D, Chen T, Li D, et al. Expandable and cost-effective network structures for data centers using dual-port servers[J]. IEEE Transactions on Computers, 2012, 62(7): 1303-1317.

[10] Guo D, Chen T, Li D, et al. BCN: Expansible network structures for data centers using hierarchical compound graphs[C]//2011 Proceedings IEEE

INFOCOM. Shanghai, China. IEEE, 2011: 61-65.

[11] Gyarmati L, Trinh T A. Scafida: A scale-free network inspired data center architecture[J]. ACM SIGCOMM Computer Communication Review, 2010, 40(5): 4-12.

[12] 刘晓茜, 杨寿保, 郭良敏, 等. 雪花结构: 一种新型数据中心网络结构[J]. 计算机学报, 2011, 34(1): 76-86.

[13] 刘盛云. 基于 Kautz 图的数据中心网络拓扑结构研究[D]. 国防科学技术大学, 2010.

[14] 李丹, 陈贵海, 任丰原, 等. 数据中心网络的研究进展与趋势[J]. 计算机学报, 2014, 37(2): 259-274.

[15] Hopps C. Analysis of an equal-cost multi-path algorithm[R]. No. RFC2922. 2000.

[16] Al-Fares M, Radhakrishnan S, Raghavan B, et al. Hedera: Dynamic flow scheduling for data center networks[C]//NSDI'10: Proceedings of the 7th USENIX Conference on Networked Systems Design and Implementation. Berkeley, CA, USA: USENIX Association, 2010: 19.

[17] Benson T, Anand A, Akella A, et al. Microte: Fine grained traffic engineering for data centers[C]//CoNEXT'11: Proceedings of the Seventh Conference on Emerging Networking Experiments and Technologies. New York, USA. ACM, 2011: 8: 1-12.

[18] Curtis A R, Kim W, Yalagandula P. Mahout: Low-overhead datacenter traffic management using end-host-based elephant detection[C]//2011 Proceedings IEEE INFOCOM. Shanghai, China. IEEE, 2011: 1629-1637.

[19] McKeown N, Anderson T, Balakrishnan H, et al. Openflow: Enabling innovation in campus networks[J]. ACM SIGCOMM Computer Communication Review, 2008, 38(2): 69-74.

[20] Kabbani A, Vamanan B, Hasan J, et al. Flowbender: Flow-level adaptive routing for improved latency and throughput in datacenter networks[C]// CoNEXT'14: Proceedings of the 10th ACM International on Conference on Emerging Networking Experiments and Technologies. New York, USA. ACM, 2014: 149-160.

[21] Zats D, Das T, Mohan P, et al. DeTail: Reducing the flow completion time tail in datacenter networks[C]//Proceedings of the ACM SIGCOMM 2012 Conference on Applications, Technologies, Architectures, and Protocols for Computer Communication. Helsinki, Finland. ACM, 2012: 139-150.

[22] Perry J, Ousterhout A, Balakrishnan H, et al. Fastpass: A centralized 'zero-queue' datacenter network[C]//Proceedings of the 2014 ACM Conference on SIGCOMM. Chicago, USA. ACM, 2014: 307-318.

[23] Ghorbani S, Yang Z, Godfrey P, et al. Drill: Micro load balancing for low-latency data center networks[C]//Proceedings of the Conference of the ACM Special Interest Group on Data Communication. New York, USA. ACM, 2017: 225-238.

[24] Zhang H, Zhang J, Bai W, et al. Resilient datacenter load balancing in the wild[C]//SIGCOMM'17 Proceedings of the Conference of the ACM Special Interest Group on Data Communication. New York, USA. ACM, 2017: 253-266.

[25] Alizadeh M, Edsall T, Dharmapurikar S, et al. CONGA: Distributed congestion-aware load balancing for data centers[C]//Proceedings of the 2014 ACM Conference on SIGCOMM. Chicago, USA. ACM, 2014: 503-514.

[26] He K, Rozner E, Agarwal K, et al. Presto: Edge-based load balancing for fast datacenter networks[C]//SIGCOMM'15 Proceedings of the 2015 ACM Conference on Special Interest Group on Data Communication. New York, USA. ACM, 2015: 465-478.

[27] Vanini E, Pan R, Alizadeh M, et al. Let it flow: Resilient asymmetric load balancing with flowlet switching[C]//14th USENIX Symposium on Networked Systems Design and Implementation (NSDI 17). Boston, MA. USENIX Association, 2017: 407-420.

[28] Alizadeh M, Greenberg A, Maltz D A, et al. Data center TCP (DCTCP)[C]// Proceedings of the 2010 ACM Conference on SIGCOMM. New Delhi, India. ACM, 2010: 63-74.

[29] Wu H, Feng Z, Guo C, et al. ICTCP: Incast congestion control for TCP in data center networks[C] // Proceedings of the 6th International Conference. Philadelphia Pennsylvania, 2010: 1-12.

[30] Vamanan B, Hasan J, Vijaykumar T N. Deadline-aware datacenter TCP (D2TCP)[C] //ACM SIGCOMM Computer Communication Review. Helsinki, 2012, 42(4): 115-126.

[31] Scharf M, Ford A. Multipath TCP (MPTCP) application interface considerations[R]. RFC 6897, March, 2013.

[32] Kaur G, Bala M. RDMA over converged ethernet: A review[J]. International Journal of Advances in Engineering & Technology, 2013, 6(4): 1890.

[33] Casado M, Freedman M J, Pettit J, et al. Ethane: Taking control of the enterprise[C] // ACM SIGCOMM Computer Communication Review, Kyoto, 2007, 37(4): 1-12.

[34] Heller B, Seetharaman S, Mahadevan P, et al. Elastictree: Saving energy in data center networks[C] // NSDI. Boston, MA, 2010, 10: 249-264.

[35] Handigol, Nikhil, Heller, et al. I know what your packet did last hop: Using packet histories to troubleshoot networks[C] // Proceedings of the 11th USENIX Conference on Networked Systems Design and Implementation (NSDI'14). Seattle: USENIX Association, 2014: 71-85.

[36] Bosshart P, Daly D, Gibb G, et al. P4: Programming protocol-independent packet processors[C] // ACM SIGCOMM Computer Communication Review, Chicago, 2014, 44(3): 87-95.

[37] Katta N, Hira M, Kim C, et al. HULA: Scalable load balancing using programmable data planes[C] // Proceedings of the Symposium on SDN Research(SOSR). Santa Clara: ACM, 2016: 1-12.

[38] Olteanu V, Agache A, Voinescu A, et al. Stateless datacenter load-balancing with beamer[C] // Proceedings of the 15th USENIX Conference on Networked Systems Design and Implementation (NSDI'18). Renton: USENIX Association, 2018: 125-139.

[39] Zhou Y, Sun C, Liu H H, et al. Flow event telemetry on programmable data plane [C] // Proceedings of the ACM SIGCOMM. Virtual Event: ACM, 2020: 76-89.

[40] Li Y, Miao R, Liu H H, et al. HPCC: High precision congestion control[C] // Proceedings of the ACM Special Interest Group on Data Communication. Beijing, ACM, 2019: 44-58.

[41] Katta N, Ghag A, Hira M, et al. Clove: Congestion-aware load balancing at the virtual edge[C] // Proceedings of the 13th International Conference on Emerging Networking Experiments and Technologies. Incheon, ACM, 2017: 323-335.

[42] Sivaraman V, Narayana S, Rottenstreich O, et al. Heavy-Hitter Detection Entirely in the Data Plane[C] // Proceedings of the Symposium on SDN Research(SOSR). Santa Clara: ACM, 2017: 164-176.

[43] Harrison R, Cai Q, Gupta A, et al. Network-wide heavy hitter detection with commodity switches [C] // Proceedings of the Symposium on SDN Research. New York: Association for Computing Machinery, 2018: 1-7.

[44] Intel, Explore the Power of Intel® Programmable Ethernet Switch Products

[EB/OL]. https: //www. intel. com/content/www/us/en/products/network-io/programmable-ethernet-switch. html.

[45] Li Y, Miao R, Kim C, et al. Lossradar: Fast detection of lost packets in data center networks [C] // Proceedings of the 12th International on Conference on Emerging Networking Experiments and Technologies. New York: Association for Computing Machinery, 2016: 481-495.

[46] Zhou Y, Bi J, Yang T, et al. KeySight: Troubleshooting programmable switches via scalable high-coverage behavior tracking[C] // 2018 IEEE 26th International Conference on Network Protocols (ICNP). Cambridge, IEEE, 2018: 291-301.

[47] Pereira F, Neves N, Ramos F M V. Secure network monitoring using programmable data planes [C] // 2017 IEEE Conference on Network Function Virtualization and Software Defined Networks (NFV-SDN). Berlin, IEEE, 2017: 286-291.

[48] Chen L, Chen G, Lingys J, et al. Programmable switch as a parallel computing device [J]. arXiv, 2018, arXiv: 1803. 01491.

[49] Sapio A, Abdelaziz I, Canini M, et al. Daiet: A system for data aggregation inside the network [C] // Proceedings of the 2017 Symposium on Cloud Computing. New York, ACM, 2017: 626.

[50] Dang H T, Bressana P, Wang H, et al. P4xos: Consensus as a network service[J]. IEEE/ACM Transactions on Networking, 2020, 28(4): 1726-1738.

[51] Sherwood R, Gibb G, Yap K K, et al. Flowvisor: A network virtualization layer[J]. OpenFlow Switch Consortium, Tech. Rep, 2009, 1: 132.

[52] Previdi S, Ginsberg L, Decraene B. Segment Routing Architecture[R]. RFC 8402, 12, 2018.

[53] Bashandy A, Filsfils C, Previdi S, et al. Segment Routing with the MPLS Data Plane[R]. RFC 8660, 12, 2019.

[54] Clarence F, Darren D, Stefano P, et al. IPv6 Segment Routing Header (SRH)[R]. RFC 8754, 3, 2020.

[55] Filsfils C, Camarillo P, Leddy J, et al. Segment Routing over IPv6 (SRv6) Network Programming[R]. RFC 8986, 2, 2021.

[56] Aubry F, Lebrun D, Vissicchio S, et al. SCMon: Leveraging segment routing to improve network monitoring[C] // IEEE INFOCOM 2016-The 35th Annual IEEE International Conference on Computer Communications. San Francisco, IEEE, 2016: 1-9.

[57] Trimponias G, Xiao Y, Xu H, et al. On traffic engineering with segment routing in SDN based WANS[J]. arXiv preprint arXiv: 1703. 05907, 2017.

[58] 李业谦. VXLAN 技术下的数据中心通信网络设计及实现[J]. 无线互联科技, 2020, 17(3): 3-4.

[59] 李纯亮. 虚拟数据中心及其关键技术研究[J]. 中国新通信, 2018, 20(20): 66.

[60] 尹明浩. 虚拟网络嵌入方法研究[D]. 电子科技大学, 2018.

[61] Li J, Li D, Yu Y, et al. Towards full virtualization of SDN infrastructure[J]. Computer Networks, 2018, 143: 1-14.

[62] 王轩. 虚拟网络映射算法研究[D]. 南京邮电大学, 2018.

[63] Yu M, Yi Y, Rexford J, et al. Rethinking virtual network embedding: Substrate support for path splitting and migration[J]. ACM SIGCOMM Computer Communication Review, 2008, 38(2): 17-29.

[64] 王艺睿. 蚁群算法在动态优化问题上的应用研究[D]. 东华大学, 2017.

[65] Duffield N G, Goyal P, Greenberg A, et al. A flexible model for resource management in virtual private networks[C]//Proceedings of the Conference on Applications, Technologies, Architectures, and Protocols for Computer Communication. Cambridge, MA, USA. ACM, 1999: 95-108.

[66] Juttner A, Szabó I, Szentesi A. On bandwidth efficiency of the hose resource management model in virtual private networks[C]//IEEE INFOCOM 2003. Twenty-second Annual Joint Conference of the IEEE Computer and Communications Societies (IEEE Cat. No. 03CH37428). San Francisco, USA. IEEE, 2003, 1: 386-395.

[67] Lee J, Lee M, Popa L, et al. CloudMirror: Application-aware bandwidth reservations in the cloud[C]//5th USENIX Workshop on Hot Topics in Cloud Computing (HotCloud 13). San Jose, CA, 2013.

[68] 王硕. 面向虚拟数据中心的云网络资源共享与隔离方法研究[D]. 中国科学技术大学, 2019.

[69] Jiang J W, Lan T, Ha S, et al. Joint VM placement and routing for data center traffic engineering[C]//2012 Proceedings IEEE INFOCOM. Orlando, USA. IEEE, 2012: 2876-2880.

[70] 刘辰屹, 徐明伟, 耿男, 等. 基于机器学习的智能路由算法综述[J]. 计算机研究与发展, 2020, 57(4): 671-687.

[71] 崔勇, 吴建平, 徐恪, 等. 互联网络服务质量路由算法研究综述[J]. 软件学报, 2002, (11): 2065-2075.

[72] Korkmaz T, Krunz M. Multi-constrained optimal path selection[C] // Proceedings of IEEE INFOCOM 2001 Conference on Computer Communications. Twentieth Annual Joint Conference of the IEEE Computer and Communications Society. Anchorage: IEEE, 2001: 834-843.

[73] Valadarsky A, Schapira M, Shahaf D, et al. Learning to route[C] // Proceedings of the 16th ACM Workshop on Hot Topics in Networks. New York: Association for Computing Machinery, 2017: 185-191.

[74] Boyan J, Littman M. Packet routing in dynamically changing networks: A reinforcement learning approach[J]. Advances in Neural Information Processing Systems, 1993, 6: 671-678.

[75] Pinyoanuntapong P, Lee M, Wang P. Delay-optimal traffic engineering through multi-agent reinforcement learning[C] //IEEE INFOCOM 2019-IEEE Conference on Computer Communications Workshops (INFOCOM WKSHPS). Paris, IEEE, 2019: 435-442.

[76] Xu Z, Tang J, Meng J, et al. Experience-driven networking: A deep reinforcement learning based approach[C] //IEEE INFOCOM 2018-IEEE Conference on Computer Communications. Honolulu, IEEE, 2018: 1871-1879.

[77] Tarraf A A, Habib I W, Saadawi T N. Reinforcement learning-based neural network congestion controller for ATM networks[C] //Proceedings of MILCOM'95. San Diego, IEEE, 1995: 668-672.

[78] Kong Y, Zang H, Ma X. Improving TCP congestion control with machine intelligence[C] // Proceedings of the 2018 Workshop on Network Meets AI & ML. New York: Association for Computing Machinery, 2018: 60-66.

[79] Li W, Zhou F, Chowdhury K R, et al. QTCP: Adaptive congestion control with reinforcement learning[J]. IEEE Transactions on Network Science and Engineering, 2018, 6(3): 445-458.

[80] Nie X, Zhao Y, Li Z, et al. Dynamic TCP initial windows and congestion control schemes through reinforcement learning[J]. IEEE Journal on Selected Areas in Communications, 2019, 37(6): 1231-1247.

[81] 腾讯网, 证券行业智能运维平台的技术研究[EB/OL]. https: //new. qq. com/omn/20190528/20190528A0JGWP. html.

[82] 裴丹, 张圣林, 裴昶华, 等. 基于机器学习的智能运维[J]. 中国计算机学会通讯, 2017, 13(12): 68-72.

[83] 谷歌云计算服务(Google Cloud)介绍[EB/OL]. https: //cloud. google. com/.

[84] 微软云计算服务(Azure)介绍[EB/OL]. https: //azure. microsoft. com/en-us/.

[85] 亚马逊 AWS. 亚马逊云计算服务 (AWS)介绍 [EB/OL]. https: //aws. amazon. com/cn/about-aws/.

[86] Cisco Data Center. Spine-and-leaf architecture: design overview white paper [EB/OL]. https: //www. cisco. com/c/en/us/products/collateral/switches/nexus-7000-series-switches/white-paper-c11-737022. html.

[87] Firestone D, Putnam A, Mundkur S, et al. Azure accelerated networking: Smartnics in the public cloud[C]// Proceedings of the 15th USENIX Symposium on Networked Systems Design and Implementation. Renton, WA, United States. USENIX Association, 2018: 51-66.

[88] Guo C X, Wu H T, Deng Z, et al. RDMA over commodity ethernet at scale[C]//Proceedings of the 2016 ACM Conference on Special Interest Group on Data Communication. Florianopolis, Brazil. Association for Computing Machinery, 2016: 202-215.

[89] Pfister G F. An introduction to the infiniband architecture[J]. High Performance Mass Storage and Parallel I/O, 2001, 1(1): 617-632.

[90] Intel. Intel DPDK 白皮书[EB/OL]. https: //www. dpdk. org/about/news/.

[91] Bosshart P, Daly D, Gibb G, et al. P4: Programming protocol-independent packet processors[J]. ACM SIGCOMM Computer Communication Review, 2014, 44(3): 87-95.

[92] Kirkpatrick K. Software-defined networking[J]. Communications of the ACM, 2013, 56(9): 16-19.

[93] Jain S, Kumar A, Mandal S, et al. B4: Experience with a globally-deployed software defined WAN[J]. ACM SIGCOMM Computer Communication Review, 2013, 43(4): 3-14.

[94] Hong C Y, Kandula S, Mahajan R, et al. Achieving high utilization with software-driven WAN[C]//Proceedings of the ACM SIGCOMM 2013 Conference on SIGCOMM. Hong Kong, China. ACM General Post Office, 2013: 15-26.

[95] NVIDIA DGX SYSTEMS. Purpose-Built for the Unique Demands of AI[EB/OL]. https: //www. nvidia. com/en-us/data-center/dgx-systems.

[96] NVDIA. NVIDIA Scalable Hierarchical Aggregation and Reduction Protocol[EB/OL]. https: //docs. mellanox. com/display/SHARPv200.

[97] NVDIA DEVELOPER. NVIDIA Collective Communications Library[EB/OL]. https: //developer. nvidia. com/nccl.

[98] Chen L, Lingys J, Chen K, et al. Auto: Scaling deep reinforcement learning for datacenter-scale automatic traffic optimization[C]//Proceedings of the 2018 Conference of the ACM Special Interest Group on Data Communication. Budapest, Hungary. Association for Computer Machinery, 2018: 191-205.

[99] Wang S, Gao K, Qian K, et al. Predictable vFabric on informative data plane[C]//Proceedings of the ACM SIGCOMM 2022 Conference. Amsterdam, Netherlands. Association for Computing Machinery, 2022: 615-632.